DIAS QUE MUDARÃO SUA VIDA

DESAFIO DE JOÃO

RENATO CARDOSO

21 DIAS QUE MUDARÃO SUA VIDA

DESAFIO DE JOÃO

1ª EDIÇÃO | RIO DE JANEIRO | 2015

Unipro Editora

Thomas Nelson Brasil

Este livro foi revisado segundo o Novo Acordo Ortográfico da Língua Portuguesa.

O texto integral do Evangelho de João foi extraído da Nova Reina-Valera, versão preliminar.

DIREÇÃO GERAL
Paulo Lopes

DIREÇÃO DE CONTEÚDO
Vanessa Lampert

GERENTE EDITORIAL
Vera Léa Camelo

EDITOR
F Gustav Schmid

DESIGN EDITORIAL
Handerson Theodoro

COORDENAÇÃO DE CRIAÇÃO
Rafael Brum

ASSISTENTE EDITORIAL
Regina Dias

FOTO
Edu Moraes

Gráfica: Edigráfica | 1ª edição | 1ª Impressão

C268d

Cardoso, Renato, 1972-
21 Dias que mudarão sua vida. Desafio de João : Como entender seu significado e torná-lo realidade / Renato Cardoso. - 1ª. ed.
Rio de Janeiro : Unipro Editora : Thomas Nelson Brasil, 2015.
240 p. : il.

ISBN 978-85-7860-796-8

1. Amor - meditação. 2. Vida com Deus. I. Título.

15-00012 CDD: 248

UNIPRO EDITORA
ESTRADA ADHEMAR BEBIANO, 3.610 — INHAÚMA
CEP 20766-720 — RIO DE JANEIRO — RJ
TEL.: (21) 3296-9300
WWW.UNIPRO.COM.BR

THOMAS NELSON BRASIL
É UMA MARCA LICENCIADA À VIDA MELHOR EDITORA S.A.
RUA NOVA JERUSALÉM, 345 — BONSUCESSO
CEP 21402-325 — RIO DE JANEIRO - RJ
TEL.: (21) 3882-8200 — FAX (21) 3882-8212/3882-8313
WWW.THOMASNELSON.COM.BR

SUMÁRIO

INTRODUÇÃO

POR QUE E COMO FAZER O DESAFIO DE JOÃO?

O QUE VOCÊ PENSARIA DE alguém que diz: “Eu vou **escrever** um livro sem usar nenhuma letra do alfabeto”? Marque uma resposta:

a) É um maluco que fugiu do hospício
b) Deve ser o David Copperfield
c) O livro só terá páginas em branco
d) Todas as respostas estão corretas

Alguém poderia até fazer um livro sem letras, usando figuras, mas querer **escrever** sem usar o alfabeto não tem o menor sentido. Por mais louca que essa ideia possa ser, é exatamente isso que muita gente tem tentado fazer. Não escrever o tal livro sem letras, mas amar sem conhecer o amor.

É lógico que para escrever este texto eu tive que conhecer todas as letras do alfabeto. Tive que aprender a formar palavras, entender seus significados, como elas funcionam, e quais as regras da gramática. Do contrário, você não poderia entender esta mensagem. É impossível construir algo sem usar uma matéria-prima.

A matéria-prima dos relacionamentos é o amor. Onde você o encontra? Disse o apóstolo João, também conhecido como o "apóstolo do amor":

Deus é amor, e aquele que permanece no amor permanece em Deus, e Deus, nele. (I João 4.16)

Deus é a definição do amor. Nele estão reunidos todos os elementos necessários para viver e praticar o amor verdadeiro. Ele é quem tem todas as letras do alfabeto dos relacionamentos: **A**mor, **B**ondade, **C**umplicidade, **D**edicação, **E**rotismo, **F**idelidade...

As pessoas estão tentando amar sem conhecer o verdadeiro amor, escrever suas histórias amorosas sem usar todas as letras desse alfabeto. Qual tem sido o resultado? Relacionamentos doentios, egoístas, distorcidos, desequilibrados, que fazem sofrer... Casamentos que acabam em divórcios, descrença do amor.

Tentar amar seu parceiro sem conhecer a Deus é tentar escrever um livro sem conhecer o alfabeto. É loucura. É impossível. E não estou falando de ter uma religião. Conhecer a Deus não tem absolutamente nada a ver com frequentar uma igreja ou fazer parte de alguma organização religiosa. Não é a religião que nos aproxima de Deus, mas nosso interesse sincero em desenvolver um relacionamento com Ele.

Na Escola do Amor, uma das lições é que você precisa conhecer a Deus. Seu primeiro relacionamento tem que ser com Ele. Não se trata de ser religioso nem de frequentar um templo. Se trata de procurar saber quem Ele é através do que Ele fala sobre Si mesmo. E o que Ele fala, afinal?

Convido você a descobrir. O apóstolo do amor escreveu em 21 capítulos, com todas as letras, a essência do que Jesus falou sobre Deus e Si mesmo. Seu caráter, Sua forma de entender o mundo, Suas prioridades, Sua personalidade, tudo está revelado nesses 21 capítulos. Eu desafio você a fazer o "Desafio de João" — ler e meditar em um capítulo por dia por 21 dias ininterruptos. Comece quando quiser. Meditar na vida de Jesus é mergulhar nos pensamentos de Deus e entender Seu propósito para a nossa vida e para os nossos relacionamentos.

O QUE É O DESAFIO DE JOÃO?

É ler e meditar em um capítulo por dia do Evangelho de João, que tem 21 capítulos no total. Você pode começar a ler este desafio a qualquer dia, mas deverá seguir por 21 dias ininterruptos até o último capítulo.

Note que não será apenas "ler". Vamos meditar no que lemos. Meditar significa pensar no que está lendo, inquirir, mergulhar no texto e, principalmente, tirar lições para a sua vida.

Para ajudá-lo a fazer isso, este livro contém 21 textos com a minha meditação diária sobre cada capítulo, acompanhado da íntegra do Evangelho de João. Mesmo que você já tenha lido o Evangelho de João outras vezes e ache que sabe o que irá encontrar, aconselho que leia atentamente todos os capítulos, como se fosse a primeira vez. O aproveitamento não será o mesmo se você pular essa etapa. Por isso, fiz questão de começar cada capítulo com a íntegra do texto bíblico. Vá por mim, será muito importante meditar no texto original **antes** de ler a minha meditação.

Isso não quer dizer que você ficará restrito ao que eu meditei. Lembre-se, a Palavra de Deus é dinâmica e pode falar com você através do mesmo versículo algo totalmente diferente do que falou comigo. Portanto, quero encorajar você também a deixar seu comentário no blog **renatocardoso.com** (use este link para acesso rápido: rna.to/joao21) a cada dia sobre o que aprendeu com sua meditação daquele capítulo. Com certeza abençoará outras pessoas.

QUER PARTICIPAR? ENTÃO...

1. Decida o dia em que vai começar e comprometa-se por 21 dias

2. Comece a ler desde João 1.1, um capítulo por dia

3. Medite em sua leitura. Você deve tirar entre 10 a 20 minutos por dia para isso; escolha um lugar tranquilo onde não terá interrupções

4. Em seguida, **leia** a mensagem referente àquele capítulo aqui neste livro

5. Visite o link rna.to/joao21, se quiser postar um comentário

Que tal convidar um amigo para fazer parte desse projeto com você? O Desafio de João é ideal para amigos, pais e filhos, marido e esposa etc. Presenteie essa pessoa especial com um exemplar deste livro e troquem experiências.

Boa leitura.

Renato Cardoso

DIA 1

O COADJUVANTE

A PALAVRA FEITA CARNE

NO PRINCÍPIO ERA A PALAVRA, e a Palavra estava com Deus, e a
Palavra era Deus. 2 Desde o princípio, Ele, a Palavra, estava junto
a Deus. 3 Todas as coisas foram feitas por meio dEle; e, sem Ele,
nada do que foi feito existiria. 4 E nEle estava a vida, e a vida
era a luz dos homens. 5 A luz resplandece nas trevas, e as trevas
não a derrotaram. 6 Houve um homem enviado por Deus que se
chamava João. 7 João veio para dar testemunho da luz, a fim de
que todos cressem por meio dele. 8 Ele não era a luz, mas veio
para dar testemunho da luz. 9 A Palavra era a luz verdadeira, que
ilumina todo homem que vem a este mundo. 10 Estava no mundo,
e o mundo foi feito por meio dEle, mas o mundo não O reconhe-
ceu. 11 Veio para o que era Seu, mas os Seus não O receberam.
12 No entanto, Ele deu a todos aqueles que O receberam, todos
aqueles que creram em Seu Nome, o poder de se tornarem filhos
de Deus. 13 Esses filhos não nasceram do sangue, nem do desejo

da carne, tampouco da vontade do homem, mas de Deus. 14 A Palavra se fez carne e habitou entre nós (e vimos Sua glória — a glória do unigênito do Pai), cheio de graça e de verdade. 15 João deu testemunho dEle e clamou: "Era dEle que eu falava: Aquele que vem depois de mim tem a primazia, pois já existia antes de mim". 16 Porque todos nós recebemos de Sua plenitude, graça sobre graça. 17 A Lei foi dada por meio de Moisés, mas a graça e a verdade vieram por Jesus Cristo. 18 Deus nunca foi visto por homem algum. Mas Ele fez conhecer o Filho unigênito, Que está no âmago do Pai.

O TESTEMUNHO DE JOÃO BATISTA

19 Este é o testemunho de João quando os judeus mandaram sacerdotes e levitas de Jerusalém para que lhe perguntassem: "Quem és tu?", 20 João confessou, não se recusando a responder, e declarou: "Eu não sou o Cristo". 21 Mas eles insistiram: "Então, quem és? Tu és Elias?". Ao que ele disse: "Não sou". "Tu és o Profeta?" E ele respondeu: "Não". 22 E tornaram a questioná-lo: "Quem és tu, então? Dize-nos, para que possamos dar uma resposta àqueles que nos enviaram. Quem tu dizes que és?". 23 E João respondeu valendo-se do que dissera o profeta Isaías: "Eu sou a voz daquele que clama no deserto: 'Endireitai o caminho para o Senhor'". 24 Aqueles que foram enviados eram da parte dos fariseus, 25 e perguntaram-lhe: "Por que batizas, já que tu não és o Cristo, nem Elias, tampouco um profeta?". 26 Então, João respondeu a eles: "Eu batizo com água, mas, no meio de vocês, existe Um a Quem não conhecem. 27 Este é O que vem depois

de mim e de Quem não sou digno sequer de desatar a tira da sandália". 28 Tudo isso se passou em Betânia, do outro lado do Jordão, onde João estava batizando.

O CORDEIRO DE DEUS

29 No dia seguinte, João viu Jesus e, enquanto Ele caminhava em sua direção, disse: "Eis o Cordeiro de Deus, Que tira o pecado do mundo. 30 Este é Aquele a respeito de Quem eu disse: 'Depois de mim vem um Homem Que tem a primazia, porque já existia antes de mim'. 31 Eu não sabia quem Ele era; mas vim por isso, para que, batizando com água, Ele fosse manifestado a Israel". 32 E João deu seu testemunho: "Eu vi o Espírito descer do céu como uma pomba, e permanecer sobre Ele. 33 Eu não sabia quem Ele era, mas Aquele que me mandou batizar com água me disse: 'Sobre Aquele que vires descer o Espírito, e sobre Ele permanecer, Esse é O que batiza com o Espírito Santo'. 34 Eu vi e, desde então, tenho testificado que Ele é o Filho de Deus".

OS PRIMEIROS DISCÍPULOS

35 No dia seguinte, João estava novamente ali, junto com dois de seus discípulos, 36 e, ao ver Jesus, Que passava naquele momento, disse: "Eis aqui o Cordeiro de Deus". 37 Os dois discípulos ouviram-no dizer isso e começaram a seguir Jesus. 38 Então, Jesus se voltou e, ao ver que O seguiam, indagou-lhes: **"O que vocês buscam?"**. E eles responderam: "Rabi (que, traduzido, quer dizer Mestre), onde estás hospedado?". 39 E Jesus lhes disse: **"Venham**

e vejam". Foram, viram onde Ele estava hospedado e ficaram em
Sua companhia naquele dia, porque já eram quase quatro horas da
tarde. 40 André, irmão de Simão Pedro, era um dos que ouviram
aquilo de João e O seguiram. 41 E foi primeiro em busca de seu
irmão Simão, dizendo-lhe: "Encontramos o Messias (que, tradu-
zido, é Cristo)". 42 E o levou a Jesus, que, então, olhou para ele e
disse: "**Tu és Simão, filho de Jonas; tu serás chamado Cefas** (que
quer dizer Pedro)".

JESUS CHAMA FILIPE E NATANAEL

43 No dia seguinte, Jesus quis ir à Galileia e encontrou Filipe, a quem
disse: "**Segue-Me**". 44 Filipe era de Betsaida, cidade de André e de
Pedro. 45 Filipe encontrou Natanael e lhe revelou: "Encontramos
Aquele de quem Moisés escreveu na Lei, assim como os Profetas:
Jesus, o filho de José, o de Nazaré". 46 E Natanael lhe disse: "Pode
sair algo de bom de Nazaré?". E Filipe respondeu: "Vem e vê". 47
Quando Jesus viu Natanael, que se aproximava, disse: "**Eis aqui
um verdadeiro israelita, em quem não há falsidade**". 48 Natanael,
então, perguntou a Ele: "De onde me conheces?" Ao que Jesus
respondeu: "**Antes que Filipe te chamasse, quando tu estavas
debaixo da figueira, Eu te vi**". 49 E Natanael declarou: "*Rabi*, Tu
és o Filho de Deus, Tu és o Rei de Israel". 50 Jesus, então, lhe
disse: "**Porque te disse: 'Eu te vi debaixo da figueira', tu crês? Tu
verás coisas bem maiores do que estas**". 51 E acrescentou: "**Em
verdade, em verdade, Eu lhes digo: Daqui em diante, vocês verão
o céu aberto e os anjos de Deus subirem e descerem sobre o
Filho do Homem**".

O COADJUVANTE

João, o autor deste Evangelho, era um dos doze discípulos de Jesus. Não o confunda com o outro João mencionado já aqui no capítulo um e várias vezes neste livro — João Batista. Apenas dois Joões são mencionados por nome em todo este Evangelho. O primeiro é o Batista e o outro, só de passagem, é o pai do apóstolo Pedro.

O curioso é que João, o autor e discípulo de Jesus, não menciona a si mesmo pelo nome no livro nem uma vez. Ele se refere a si mesmo apenas como "o outro discípulo" (João 20.3) e "um dos discípulos, aquele a quem Ele (Jesus) amava" (13.23).

Esse esforço proposital de ocultar o próprio nome fala muito a respeito desse discípulo e do que acontecia com as pessoas quando elas encontravam o Senhor Jesus. Era como se elas não vissem mais nenhuma necessidade de exaltarem a si mesmas nesse mundo, mas exaltarem apenas ao Senhor Jesus e servirem a outros. João deixa isso bem claro ao fazer do Senhor Jesus o foco do seu Evangelho. Quanto a si próprio, ele se contentava em ser apenas o discípulo "a quem Ele amava". Para que mais?

Em uma época em que pregadores do Evangelho parecem fazer um esforço sobrenatural para seus nomes aparecerem nas fachadas de suas igrejas, na TV, nos impressos e em tantos outros lugares, o que "o outro discípulo" fez é uma brisa de ar fresco para nós hoje.

Quando você tem um verdadeiro encontro com Deus, todo o desejo de se gloriar e receber reconhecimento das pessoas desaparece. Você não se chateia mais quando as pessoas não olham para você ou o desprezam ou, ainda, falam mal a seu respeito. O fato de você ser um discípulo do Senhor Jesus e ter a certeza de que Ele o ama já basta.

Então, todos os seus esforços são para que as pessoas conheçam a Ele também. Ele é o protagonista. Você, apenas o coadjuvante.

E que privilégio por isso.

VOCÊ JÁ SE CHATEOU POR TER SIDO DESPREZADO OU NÃO RECONHECIDO POR ALGUÉM? O QUE VOCÊ ACHA QUE DEVE FAZER DAQUI PARA FRENTE?

O QUE MAIS O ESPÍRITO SANTO FALOU COM VOCÊ AO LER O CAPÍTULO 1 DE JOÃO? ESCREVA O QUE MAIS CHAMOU SUA ATENÇÃO.

Compartilhe seus comentários em rna.to/joao21

DIA 2

ELE FALAVA DO SEU CORPO

AS BODAS DE CANÁ

DOIS DIAS DEPOIS, HOUVE UM casamento em Caná da Galileia. E a
mãe de Jesus se encontrava ali. ² Jesus e Seus discípulos também foram
convidados para esse casamento. ³ E, como o vinho havia acabado,
a mãe de Jesus Lhe disse: "Não há mais vinho". ⁴ Jesus, então, disse
a ela: **"Mulher, que tenho Eu contigo? Ainda não é chegada Minha
hora".** ⁵ Mas Sua mãe disse aos que serviam: "Façam o que Ele disser a
vocês". ⁶ Naquele local, havia seis talhas de pedra para água, daquelas
usadas no ritual para a purificação dos judeus, e em cada uma cabiam
entre oitenta e cento e vinte litros.[1a] ⁷ Jesus, então, lhes disse: **"Encham
de água essas talhas".** E eles as encheram até a borda. ⁸ E disse-lhes:
"Agora tirem um pouco e levem para o organizador da festa". E eles
assim fizeram. ⁹ Quando o organizador provou a água transformada
em vinho, sem saber de onde era (embora os serviçais soubessem de
onde haviam tirado a água), chamou o noivo. ¹⁰ E disse a ele: "Todos
servem primeiro o vinho bom e, quando os convidados já estão

[1a] Em grego, *metrētàs dúo è treîs* (duas ou três metretas).

satisfeitos, servem o inferior; mas tu reservaste o bom vinho até agora".
11 Esse foi o princípio de Seus sinais em Caná da Galileia. E, assim,
manifestou Sua glória; e Seus discípulos creram nEle. 12 Depois disso,
Ele, Sua mãe, Seus irmãos e Seus discípulos desceram a Cafarnaum.
Lá permaneceram por alguns dias.

A PURIFICAÇÃO DO TEMPLO

13 Quando a Páscoa dos judeus se aproximava, Jesus subiu para Jeru-
salém. 14 No Templo, Ele encontrou os que vendiam bois, ovelhas e
pombos, além dos cambistas, que estavam sentados ali. 15 Então, Ele
fez um chicote de cordas e expulsou todos para fora do Templo, junto
com os bois e as ovelhas; espalhou as moedas dos cambistas e virou as
mesas. 16 Ele disse aos que vendiam pombos: **"Tirem tudo isso daqui,
e não façam da casa de Meu Pai lugar de comércio".** 17 Então, Seus
discípulos lembraram-se do que está escrito: "O zelo por Tua casa me
devorará". 18 Os judeus, entretanto, questionaram-No: "Que sinal nos
mostras para fazeres isso?" 19 Ao que Jesus respondeu: **"Destruam este
Templo e, em três dias, Eu o reerguerei".** 20 Os judeus argumentaram:
"Este Templo foi edificado em quarenta e seis anos, e Tu o levantarás
em três dias?". 21 Mas Ele falava do Templo de Seu corpo. 22 Tanto
que, quando ressuscitou dos mortos, Seus discípulos se lembraram
de que lhes dissera isso; e creram na Escritura, e na Palavra de Jesus.
23 Estando em Jerusalém, na festa da Páscoa, muitos creram em Seu
Nome, vendo os sinais que Ele fazia. 24 Mas o próprio Jesus não Se
confiava a eles, porque Ele conhecia a todos. 25 E não tinha neces-
sidade de que ninguém desse testemunho a respeito do homem;
porque Ele sabia o que havia no homem.

ELE FALAVA DO SEU CORPO

Um dos principais acontecimentos deste Capítulo 2 de João foi a atitude de Jesus ao ver como os religiosos e o povo tratavam o Templo de Deus. O lugar que era para servir como um ponto de encontro entre as pessoas e Deus havia se transformado em um shopping center da fé. Venda de animais para sacrifícios. Casas de câmbio. Zoeira total.

Cheio de raiva, com o fogo do respeito que Ele tinha pela casa de Seu pai queimando dentro dEle, enxotou dali os aproveitadores. Quando questionado sobre quem Lhe dera o direito de fazer aquilo, Ele respondeu propositalmente em código: "Derrubem este Templo, e Eu o construirei de novo em três dias". Ele se referia ao Seu próprio corpo, profetizando o que iria acontecer com Ele na ocasião de Sua morte e ressurreição em três dias.

O interessante aqui é que Ele associou o Templo ao Seu corpo, o mesmo que o apóstolo Paulo disse a respeito do nosso corpo.

Será que vocês não sabem que o corpo de vocês é o Templo do Espírito Santo, que vive em vocês e lhes foi dado por Deus? Vocês não pertencem a vocês mesmos, mas a Deus. (I Coríntios 6.19)

O Templo da época de Jesus foi construído por Herodes, um vil incrédulo que o fez por razões políticas. Os fariseus e líderes religiosos faziam dele sua fonte de poder e lucro. Já não havia ali a espiritualidade originalmente praticada na época do primeiro Templo, construído por Salomão. Mesmo assim, Jesus mostrou grande zelo e respeito por aquele Templo.

E se Ele se importava tanto com um Templo de pedras, quanto mais Ele se importa com o que fazemos com nosso corpo, criado pelas próprias mãos dEle?

Ser de Deus exige que tenhamos zelo com o nosso corpo como Templo de Deus.

- Não destruí-lo com vícios
- Não pichá-lo com tatuagens[2]
- Não entregá-lo às imoralidades sexuais
- Não praticar a glutonaria (que destrói a saúde)
- Não exibi-lo sensualmente
- Não ser desleixado com a saúde, entregando-o às doenças

Nosso corpo aqui na Terra é o ponto de encontro entre nós e Deus. Também é ponto de encontro entre Deus e outras pessoas que ainda não O conhecem, pois quem olha para os que são de Deus tem de ver Deus neles.

Como você tem tratado o Templo do Espírito Santo que há em você?

[2] Se você nunca fez tatuagem, continue assim. Se já fez e pode removê-la, muito bem. Senão, siga em frente e não faça mais nem as fique exibindo, como quem ainda se orgulha delas (a não ser para testemunho). Deus é capaz de olhar para além de sua pele.

ANOTAÇÕES

Compartilhe seus comentários em rna.to/joao21

DIA 3

O CAPÍTULO DA DIVISÃO

O NOVO NASCIMENTO

ENTRE OS FARISEUS, HAVIA UM homem chamado Nicodemos,
pessoa importante entre os judeus. 2 Certa noite, ele foi a Jesus e
Lhe disse: "*Rabi*, sabemos que vieste de Deus como Mestre, porque
ninguém pode realizar esses sinais que Tu fazes se Deus não estiver
com ele". 3 Jesus respondeu: "Em verdade, em verdade, Eu te digo
que aquele que não nascer de novo não pode ver o Reino de
Deus". 4 Disse-Lhe Nicodemos: "Como um homem pode nascer
já sendo velho? Acaso poderia entrar pela segunda vez no ventre
de sua mãe e nascer?". 5 Jesus, então, completou: "Em verdade,
em verdade, Eu te digo que aquele que não nascer da água e do
Espírito não pode entrar no Reino de Deus. 6 O que é nascido
da carne é carne, e o que é nascido do Espírito é espírito. 7 Não
te admires do que te digo: É necessário que nasças de novo. 8 O
vento sopra onde quer e ouves o seu assobio. Mas não sabes de
onde vem, nem para onde vai. Assim é todo aquele que é nascido

do Espírito". 9 Perguntou Nicodemos: "Como isso pode acontecer?".
10 Respondeu Jesus: "Tu és mestre em Israel e não sabes essas
coisas? 11 Em verdade, em verdade, Eu te digo que falamos o que
sabemos e testificamos o que vimos, mas vocês não acolhem
nosso testemunho. 12 Se falei a vocês sobre coisas terrenas, e não
creram, como irão crer se lhes falar acerca das coisas celestiais? 13
Ninguém subiu ao céu senão Aquele que desceu de lá: o Filho do
Homem Que está no céu. 14 E, como Moisés levantou a serpente
no deserto, assim também é necessário que o Filho do Homem
seja levantado, 15 para que todo aquele que crê nEle não pereça,
mas tenha vida eterna.

A INTENSIDADE COM QUE DEUS AMOU O MUNDO

16 Porque Deus amou o mundo com tamanha intensidade que deu
Seu Filho Unigênito, para que todo o que nEle crê não pereça,
mas tenha vida eterna. 17 Porque Deus não enviou Seu Filho ao
mundo para condenar o mundo, mas para que o mundo fosse
salvo por intermédio dEle. 18 Quem crê nEle não é condenado,
mas quem não crê já está condenado, porque não crê no Nome
do Unigênito Filho de Deus. 19 E a condenação é esta: a luz veio
ao mundo, e os homens amaram mais as trevas do que a luz,
porque suas obras eram más. 20 Todo aquele que pratica o mal
odeia a luz, e não se aproxima dela, para que suas obras não
sejam reprovadas. 21 Mas quem pratica a verdade vem para a
luz, a fim de que suas obras sejam manifestas, porque são feitas
por intermédio de Deus".

O AMIGO DO ESPOSO

22 Depois disso, Jesus seguiu com Seus discípulos para a terra
da Judeia, onde passou algum tempo com eles; e lá batizava. 23
João também batizava em Enom, junto a Salim, porque ali ha-
via muitas águas. O povo ia àquele local e recebia o batismo. 24
Nesse tempo, João ainda não havia sido encarcerado. 25 Até que
houve uma discussão entre os discípulos de João e um judeu
acerca da purificação. 26 E foram a João queixar-se: "*Rabi*, sobre
Aquele que estava contigo do outro lado do Jordão, de quem tu
deste testemunho, vê, Ele está batizando, e todos vão até Ele". 27
Respondeu João: "O homem não pode receber nada se não lhe
for dado do céu. 28 Vocês são testemunhas de minhas palavras:
Eu não sou o Cristo, mas sou enviado adiante dEle. 29 Aquele
que tem a noiva é o noivo; mas o amigo do noivo, que está a seu
lado e o ouve, alegra-se muito com a voz do noivo. Assim, pois,
essa é minha alegria, que já se completou. 30 É necessário que
Ele cresça e que eu diminua".

O QUE VEM DO ALTO

31 Aquele que vem do Alto está acima de todos; aquele que é da
Terra é terreno e fala das coisas terrenas. Aquele Que vem do céu
está sobre todos, 32 e dá testemunho daquilo que viu e ouviu. Po-
rém, ninguém aceita Seu testemunho. 33 Aquele que aceitou Seu
testemunho confirmou que Deus é verdadeiro. 34 Porque Aquele
Que Deus enviou fala as Palavras de Deus, pois Deus não Lhe dá
o Espírito com limitações. 35 O Pai ama o Filho e entregou todas

as coisas em Suas mãos. 36 Aquele que crê no Filho tem a vida eterna; mas aquele que se recusa a crer nEle não verá a vida, e a ira de Deus permanece sobre ele.

O CAPÍTULO DA DIVISÃO

Uma coisa Jesus deixa bem clara neste capítulo. Só existem dois tipos de pessoas nesse mundo.

- Os que recebem Sua mensagem e os que ficam questionando (como Nicodemos)
- Os que são apenas carne e osso, frutos do ato sexual do pai e da mãe; e os que são espírito, frutos da obra de Deus dentro deles
- Os que O aceitam e os que O rejeitam
- Os que creem nEle e os que não
- Os que amam a Luz e os que amam as trevas
- Os que por Ele serão salvos e os que sem Ele serão condenados

Quem faz essa divisão são as próprias pessoas, por suas escolhas. O maior poder que há no mundo, no seu mundo, é o poder de escolher. Nem Deus interfere com esse poder que você tem. O diabo tampouco pode anular esse poder (ainda que ele com todas as forças tente fazê-lo crer que você não tem outra escolha a não ser a que ele lhe dá).

As perguntas são:

Você já decidiu firmemente sobre quem Jesus é para você?

Já decidiu o que fará a respeito do que Ele falou — ignorar ou seguir?

Esse poder de decisão está aí em suas mãos, agora. Por favor não diga que não teve escolha.

Se você deseja escolher Jesus, diga a Deus estas simples palavras:

Senhor meu Deus, eu Te agradeço e aceito
o maior presente que eu posso receber,
o Teu Filho Jesus. Eu creio nEle e aceito a
Sua mensagem. Eu quero sim que o Senhor
trabalhe dentro de mim e me faça nascer do
Espírito, ser uma pessoa nascida de Deus.
Quero a partir de hoje andar na Tua luz aqui na
terra, Te pedir perdão por todos os meus erros
e ter a salvação da minha alma para viver
Contigo por toda a eternidade. Amém.

Se algo aconteceu com você ao fazer essa oração sincera, acesse rna.to/joao21 e deixe seu comentário.

ANOTAÇÕES

Compartilhe seus comentários em rna.to/joao21

DIA 4

ELE SE MISTURA COM A GENTALHA

JESUS E A MULHER SAMARITANA

QUANDO JESUS SOUBE QUE OS fariseus tinham ouvido dizer das coisas
que Ele, Jesus, fazia e também que batizava mais discípulos do que
João 2 (ainda que não fosse o próprio Jesus Quem batizasse, mas Seus
discípulos), 3 deixou a Judeia e foi outra vez para a Galileia. 4 Para tan-
to, tinha de passar por Samaria. 5 Foi, pois, a uma cidade de Samaria
chamada Sicar, mais especificamente próximo à propriedade que Jacó
dera a seu filho José. 6 E estava ali o poço de Jacó. Jesus, então, cansado
da viagem, sentou-se junto ao poço. E era quase meio-dia. 7 Então, veio
uma mulher de Samaria tirar água. E Jesus lhe disse: "**Dá-Me de beber**",
8 porque Seus discípulos tinham ido à cidade comprar comida. 9 E a
mulher samaritana Lhe disse: "Como Tu, um judeu, pedes de beber a
mim, uma mulher samaritana? (Isso em razão de haver restrições de
relacionamento entre judeus e samaritanos.) 10 Jesus respondeu: "**Se
tu conhecesses o dom de Deus e quem é Aquele Que te pede água,
tu Lhe pedirias e Ele te daria água viva**". 11 A mulher, então, Lhe disse:

"Senhor, Tu não tens como tirá-la, e o poço é fundo; onde, pois, tens
essa água viva? 12 Acaso, tu és maior que nosso pai Jacó, que nos deu o
poço, do qual ele próprio bebeu, assim como seus filhos e seu gado?".
13 Jesus respondeu: "Todo aquele que beber desta água tornará a
ter sede, 14 mas aquele que beber da água que Eu lhe der nunca terá
sede, porque a água que Eu lhe der se converterá em uma fonte de
água a jorrar para a vida eterna". 15 E a mulher Lhe pediu: "Senhor,
dá-me dessa água, para que eu não mais tenha sede e nem precise vir
aqui tirá-la". 16 Disse-lhe Jesus: "Vai, chama teu marido e volta aqui". 17
Respondeu a mulher: "Não tenho marido". E Jesus: "Disseste bem: 'Não
tenho marido'; 18 porque tiveste cinco maridos, e aquele com quem
vives agora não é teu marido; nisso, disseste a verdade". 19 Disse-Lhe
a mulher: "Senhor, vejo que Tu és profeta. 20 Nossos antepassados ado-
ravam neste monte, mas vocês, judeus, dizem que é em Jerusalém que
se deve adorar". 21 Jesus lhe disse: "Mulher, crê em Mim, está chegando
a hora em que vocês não adorarão o Pai nem neste monte nem em
Jerusalém. 22 Vocês, samaritanos, adoram o que não conhecem; nós
adoramos o que conhecemos, porque a salvação vem dos judeus.
23 Mas está chegando a hora — realmente já chegou — em que os
verdadeiros adoradores adorarão o Pai em espírito e em verdade;
porque são esses os adoradores que o Pai procura. 24 Deus é Espírito;
e é necessário que aqueles que O adoram o façam em espírito e em
verdade". 25 Disse a mulher: "Eu sei que o Messias, chamado o Cristo,
virá; e, quando Ele vier, nos anunciará todas as coisas". 26 E Jesus lhe
respondeu: "Eu o sou, Aquele Que está falando contigo". 27 Nesse mo-
mento, Seus discípulos chegaram e se admiraram de Ele estar falando
com uma mulher, mas ninguém questionou a Ele: "O que perguntas a
ela?" ou "Por que falas com ela?". 28 Então, a mulher deixou seu cântaro,

foi à cidade e disse àqueles homens: 29 "Venham, vejam um homem
que me disse tudo quanto tenho feito. Será que não é o Cristo?". 30
Então, saíram da cidade e foram ao encontro dEle. 31 Enquanto isso,
Seus discípulos Lhe rogavam, dizendo: "*Rabi*, come". 32 E Ele lhes disse:
"Tenho uma comida para comer que vocês não conhecem". 33 Então,
os discípulos indagavam uns aos outros: "Será que alguém Lhe trouxe
algo para comer?". 34 Mas Jesus lhes disse: "Minha comida é fazer a
vontade dAquele que Me enviou, e realizar Sua obra. 35 Vocês não
dizem que ainda faltam quatro meses para a colheita? Pois Eu digo a
vocês: Levantem seus olhos e vejam as terras. O que foi plantado já
está maduro para a colheita. 36 E o que faz a colheita recebe salário, e
ajunta fruto para a vida eterna, para que aquele que semeia se regozije
juntamente com o que colhe. 37 Porque o ditado "Um é o que semeia
e outro aquele que colhe" é verdadeiro. 38 Eu enviei vocês para fazer a
colheita onde não plantaram; outros trabalharam em seu lugar, e vocês
usufruíram do trabalho deles". 39 E muitos samaritanos daquela cidade
creram nEle, em razão da palavra daquela mulher, que deu testemunho:
"Ele me disse tudo o que tenho feito". 40 Então, os samaritanos foram a
Seu encontro e rogaram para que ficasse com eles. E Ele permaneceu ali
por dois dias. 41 E muitos outros creram nEle por causa de Sua Palavra.
42 Diziam à mulher: "Já não é pela tua palavra que cremos, mas porque
nós mesmos O temos ouvido, e sabemos que este é verdadeiramente o
Salvador do mundo, o Cristo".

JESUS CURA O FILHO DE UM NOBRE

43 Dois dias depois, Jesus partiu dali e foi para a Galileia. 44 Porque
Ele mesmo deu testemunho de que um profeta não tem honra em sua

própria terra. 45 Quando chegou à Galileia, os galileus O receberam
bem, pois tinham visto tudo que havia feito em Jerusalém na festa, já
que eles também tinham comparecido. 46 E Jesus foi outra vez a Caná
da Galileia, onde transformara água em vinho. Ali havia um oficial do
rei, cujo filho estava enfermo em Cafarnaum. 47 Esse oficial, quando
ouviu que Jesus havia chegado à Galileia, vindo da Judeia, foi a Seu
encontro e rogou-Lhe para que descesse e curasse seu filho, porque o
menino já estava à beira da morte. 48 Então, Jesus lhe disse: "**Se vocês
não virem sinais e milagres, nunca crerão**". 49 E o oficial do rei Lhe
disse: "Senhor, vem, antes que meu filho morra". 50 E Jesus lhe disse:
"**Vai, teu filho vive**". E o homem creu na Palavra de Jesus e partiu. 51
E, enquanto o homem descia, seus servos foram a seu encontro e lhe
deram as notícias: "Teu filho vive". 52 Então, ele lhes perguntou a hora
em que o menino havia começado a melhorar. E eles responderam: "A
febre o deixou ontem, à uma hora da tarde". 53 O pai, pois, compreendeu
que aquela fora a hora em que Jesus lhe dissera: "**Teu filho vive**". Assim,
ele creu, bem como toda a sua família. 54 Esse foi o segundo sinal que
Jesus fez, quando deixou a Judeia em direção à Galileia.

ELE SE MISTURA COM A GENTALHA

O ser humano é especialista em rivalidade. Brasileiros e argentinos. Ingleses e franceses. Americanos e russos. Capitalistas e socialistas. Nos negócios, na política, na cultura, no esporte, na ciência, na religião... Desde que Caim matou Abel, em toda parte há inimizade, competição e preconceito entre as pessoas.

Assim também era, e ainda é, entre os judeus e samaritanos. Por que os judeus nem sequer falavam com os samaritanos? Porque os consideravam uma sub-raça, não judeus legítimos.

Os samaritanos eram uma mistura de gentios com judeus, fruto do cativeiro de Israel sob a Assíria por muitos anos. Tendo levado os israelitas ao exílio, o rei assírio enviou povos de todas as partes para habitar em Samaria. Assim, os samaritanos mesclaram a religião judaica com a pagã, chegaram a construir um templo no Monte Gerizim, em competição com o Templo em Jerusalém, dizendo que o lugar correto de adorar a Deus era ali. Na época de Neemias, quando este reparava as ruínas de Jerusalém, Sambalate se opôs veementemente e usou de todas as artimanhas para impedi-lo. Sambalate era samaritano.

Foi com esse pano de fundo que a conversa entre o Senhor Jesus e a samaritana ocorreu lá no poço. Ele não deveria falar com ela, que, além de samaritana, era mulher de muitos homens. Mas Ele falou. Quebrou as regras. Naquele momento, ignorou a história da cidade e olhou para dentro daquela mulher com um passado duvidoso.

...um homem que me disse tudo quanto tenho feito... (João 4.29)

Jesus sabia tudo sobre aquela mulher. Tudo o que estava errado com ela. Mesmo assim lhe ofereceu uma nova vida, uma chance de começar tudo do zero, como um copo de água fria — ou melhor, uma fonte inesgotável — para um viajante no deserto.

O resultado? Em vez da rivalidade, houve salvação. Dela e de muitos na cidade a quem ela convidou para conhecer Jesus.

Se Deus não nos olha com preconceito, por que o faríamos com outras pessoas?

Você tem julgado alguém sem conhecer? Tem alimentado mágoa por algo passado? Tem falado mal de alguém porque ouviu alguém falar mal daquele alguém?

Está precisando dessa Água Viva que Jesus ofereceu à samaritana? Ela está disponível para você aí agora. Ela se chama Espírito Santo. Basta pedir!

Se você soubesse o que Deus pode dar e Quem é que está lhe pedindo água, você pediria, e Ele lhe daria a água da vida. (João 4.10)

ANOTAÇÕES

Compartilhe seus comentários em rna.to/joao21

DIA 5

FILHO DE QUEM?

O PARALÍTICO DE BETESDA

PASSADOS ESSES EVENTOS, HAVIA UMA festa dos judeus, de modo
que Jesus subiu para Jerusalém. 2 Nessa cidade, perto da Porta das
Ovelhas, há um tanque chamado Betesda em hebraico, em torno do
qual há cinco alpendres. 3 Nestes, havia uma multidão de enfermos,
cegos, mancos e paralíticos que esperavam o movimento da água.
4 Porque, de tempos em tempos, um anjo do Senhor descia e agitava
a água. O primeiro que entrava no tanque depois do movimento da
água era curado de qualquer doença que tivesse. 5 E naquele local se
encontrava um homem que estava doente havia trinta e oito anos.
6 Quando Jesus o viu deitado e, sabendo que estava nessa situação
há muito tempo, disse-lhe: "**Queres ficar são?**". 7 E o doente res-
pondeu-Lhe: "Senhor, não tenho ninguém que me ponha no tanque
quando a água é agitada; pois, enquanto estou indo, outro alcança
a água antes de mim". 8 Então, disse-lhe Jesus: "**Levanta-te, pega
tua maca e anda**". 9 Imediatamente, aquele homem ficou curado e,

segurando a maca, pôs-se a andar. E era sábado quando isso acon-
teceu. 10 Por isso, os judeus censuraram o homem que fora curado:
"Hoje é sábado, e não te é lícito carregar a maca". 11 E o homem
lhes respondeu: "Aquele que me curou me disse: 'Pega tua maca e
anda'". 12 Eles, então, lhe perguntaram: "Quem é este homem que te
disse: 'Pega tua maca e anda'?". 13 Mas o que fora curado não sabia
de quem se tratava, porque Jesus Se havia afastado do povo que
estava naquele lugar. 14 Algum tempo depois, Jesus o encontrou no
Templo e lhe disse: "Olha, já estás curado; não peques mais, para
que não aconteça contigo coisa pior". 15 O homem retirou-se e
contou aos judeus que fora Jesus quem o havia curado. 16 E, por
causa disso, os judeus perseguiam Jesus, e intencionavam matá-Lo,
sob a justificativa de que fazia essas coisas no sábado. 17 E Jesus lhes
respondeu: "Meu Pai trabalha até agora e Eu trabalho também". 18
Então, por isso, os judeus procuravam ainda mais matá-Lo: porque
não somente violava o sábado, como também dizia que Deus era
Seu próprio Pai, igualando-Se a Deus.

A AUTORIDADE DO FILHO

19 Então, Jesus lhes falou: "Em verdade, em verdade, Eu lhes digo:
o Filho não pode fazer nada por Si mesmo se, antes, não vir o Pai
fazendo, porque tudo o que Ele faz o Filho também faz. 20 Pois o Pai
ama o Filho, e Lhe mostra tudo o que Ele faz, e Lhe mostrará obras
ainda maiores do que estas para que vocês se maravilhem. 21 Porque,
como o Pai ressuscita os mortos e lhes dá vida, assim também o
Filho dá vida a quem Ele quer. 22 Pois o Pai não julga ninguém, mas
outorgou todo o julgamento ao Filho, 23 a fim de que todos honrem

o Filho como honram o Pai. Quem não honra o Filho também não
honra o Pai, Que O enviou. 24 Em verdade, em verdade, Eu lhes
digo: quem ouve Minha Palavra e crê nAquele que Me enviou tem
vida eterna e não entrará em condenação, pois passou da morte
para a vida. 25 Em verdade, em verdade, Eu digo a vocês que está
chegando a hora — e já chegou — em que os mortos ouvirão a
voz do Filho de Deus; e os que a ouvirem viverão. 26 Porque, assim
como o Pai tem vida em Si mesmo, também concedeu ao Filho ter
vida em Si mesmo, 27 e Lhe deu autoridade para julgar, porque é o
Filho do Homem. 28 Não se surpreendam com isso, já que chegará
a hora em que todos os que estão nos túmulos ouvirão Sua voz;
29 e os que fizeram o bem sairão para a ressureição da vida; mas
aqueles que fizeram o mal, para a ressurreição de condenação.

OS TESTEMUNHOS DE CRISTO

30 Nada posso fazer de Mim mesmo, pois como ouço, julgo. Meu
juízo é justo porque não procuro Minha própria vontade, mas a
dAquele Que me enviou, o Pai. 31 Se Eu testifico a respeito de
Mim mesmo, Meu testemunho não é verdadeiro. 32 Outro é o
que testifica a Meu respeito, e sei que o testemunho que dá de
Mim é verdadeiro. 33 Vocês enviaram mensageiros a João, e ele deu
testemunho da verdade. 34 Porém, Eu não aceito testemunho da
parte de homem algum; mas digo isso para que vocês sejam salvos.
35 Ele era a lamparina que ardia e clareava, mas vocês quiseram
apenas alegrar-se por algum tempo com sua luz. 36 Mas Eu tenho
maior testemunho do que o de João, porque as obras que o Pai
Me confiou para que Eu realizasse — essas mesmas obras que

faço — testemunham a Meu respeito de que o Pai Me enviou. [37]
Também o Pai, que Me enviou, tem dado testemunho de Mim. Vocês,
entretanto, jamais ouviram Sua voz, tampouco viram Sua aparência,
[38] nem Sua Palavra permanece em vocês, porque não creem nA-
quele a Quem Ele enviou. [39] Examinam as Escrituras porque julgam
ter nelas a vida eterna, e são elas mesmas que dão testemunho
de Mim. [40] Contudo, não querem vir a Mim para terem vida. [41] Eu
não aceito glória que vem dos homens, [42] mas conheço vocês e
sei que não têm em si o amor de Deus. [43] Eu vim em Nome de
Meu Pai e vocês não Me receberam; se outro vier em seu próprio
nome, certamente o receberão. [44] Como podem crer se aceitam a
glória uns dos outros, mas não procuram a glória que vem do Deus
único? [45] Não pensem que Eu os acusarei perante o Pai; há outro
que acusa vocês, Moisés, em quem têm depositado sua confiança.
[46] Porque, se vocês cressem em Moisés, também creriam em Mim;
porque ele escreveu a Meu respeito. [47] Porém, se não creem em
seus escritos, como poderão crer em Minhas palavras?".

FILHO DE QUEM?

Aqui Jesus já começa a criar encrenca com os líderes religiosos por ter curado um homem no sábado. Não porque Ele estava fazendo algo errado, mas porque os religiosos viviam totalmente fora do entendimento de Deus. E, por isso, não entendiam Jesus nem o que Ele fazia.

Neste capítulo Jesus tenta explicar Seu relacionamento com o Pai.

...Ele afirmava que Deus era seu próprio Pai, fazendo-Se assim igual a Deus. (João 5.18)

Este era um conceito estranho para os religiosos judeus. Até aqui, o único que havia se igualado a Deus era o próprio Lúcifer. "Subirei acima das mais altas nuvens e serei semelhante ao Altíssimo" (Isaías 14.14). Lúcifer, porém, o fez por orgulho, sem nenhum direito para tal. Já o Senhor Jesus falava a pura verdade — Ele realmente era igual ao Pai, a ponto de representá-Lo fielmente.

Há quem se diga filho de Deus, mas o faz por orgulho, tradição ou ignorância. E há os que verdadeiramente o são, porque, como Jesus, agem como o Pai. "Tudo o que o Pai faz o Filho faz também." (João 5.19)

O que os judeus também não sabiam é que, além de Jesus ser o Filho de Deus, Ele veio dar esse mesmo direito e poder para os que creem nEle — de se tornarem filhos de Deus também (veja em João 1.12).

Pare para pensar nisso um momento. Ter o próprio Deus como seu Pai. Que implicações isso teria para:

- sua vida?
- seu senso de valor próprio?
- suas necessidades econômicas?
- sua saúde? (Veja o que Ele fez por aquele homem que era paralítico há 38 anos e que nem era Seu filho.)
- sua conduta? (Tudo o que o Pai faz, o Filho faz também.)
- seu caráter?
- seus direitos?
- sua autoridade?

Somente um animal irracional, uma besta, não apreciaria o direito de se tornar filho de Deus. E é exatamente assim que muitas pessoas são, abestalhadas pela religião, emburrecidas por seus próprios argumentos furados.

Já os humildes de coração, os sinceros, conseguem apreciar isso e crer. E por isso recebem esse poder.

Se você crer, poderá se tornar filho de Deus **agora, aí onde está**.

E se você for filho dEle, agirá como Ele. E terá tudo dEle.

Ó, Pai, meu Pai, eu Te amo pelo privilégio de ser Teu filho, igual a Ti, um raiozinho da Tua luz aqui nessa Terra! Obrigado, Pai! ***Meu Pai!***

ANOTAÇÕES

Compartilhe seus comentários em rna.to/joao21

DIA 6

ESSE JESUS É UM PÃO!

A ALIMENTAÇÃO DOS CINCO MIL

DEPOIS DISSO, JESUS PARTIU PARA a outra margem do mar da Ga-
lileia, que é o de Tiberíades. 2 E uma grande multidão O seguia,
porque tinha visto os sinais que Ele operava nos enfermos. 3 Jesus
subiu ao monte e sentou-Se ali com Seus discípulos. 4 A Páscoa,
festa dos judeus, estava próxima. 5 Então, quando Jesus ergueu os
olhos e viu que uma grande multidão vinha a Seu encontro, inda-
gou a Filipe: "**Onde compraremos pão para que todos comam?**".
6 Mas Ele dizia isso para prová-lo, pois já sabia o que iria fazer. 7
Filipe Lhe respondeu: "Nem oitocentos gramas de prata bastariam
para que cada um deles recebesse um pedaço de pão". 8 E um de
Seus discípulos, André, irmão de Simão Pedro, disse-lhe: 9 "Aqui
está um rapaz que tem cinco pães de cevada e dois peixinhos. Mas
o que seria isso para tantos?". 10 Então, Jesus disse: "**Façam o povo
assentar-se**". Naquele lugar havia muita grama. Assentaram-se os
homens, em número de quase cinco mil. 11 Jesus tomou aqueles pães

e, tendo dado graças, repartiu-os entre os discípulos, e os discípulos
entre os que estavam sentados; e também igualmente os peixes, na
quantidade que eles queriam. 12 E, quando estavam saciados, disse
a Seus discípulos: "Recolham os pedaços que sobraram, para que
nada se perca". 13 Recolheram-nos, pois, e encheram doze cestos
de pedaços dos cinco pães de cevada, que sobraram aos que haviam
comido. 14 Então, aqueles homens viram o milagre que Jesus havia
feito e disseram: "Este é verdadeiramente o Profeta que devia vir ao
mundo". 15 Porém, como Jesus sabia que viriam arrebatá-Lo para
O proclamarem rei, retirou-Se novamente, sozinho, para o monte.

JESUS ANDA SOBRE O MAR

16 Ao entardecer, Seus discípulos desceram para o mar. 17 Entraram
no barco e, então, rumaram em direção a Cafarnaum. Já havia escu-
recido e Jesus ainda não havia chegado até eles. 18 E o mar se agitava
por conta de um vento forte que soprava. 19 Tendo navegado cerca
de cinco ou seis quilômetros, viram Jesus, que andava sobre o mar
e aproximava-Se do barco; e tiveram medo. 20 Mas, Ele lhes disse:
"Sou Eu, não temam". 21 Então, eles O receberam no barco e logo
chegaram a seu destino.

O POVO PROCURA POR JESUS

22 No dia seguinte, a multidão que estava do outro lado do mar viu
que não havia ali mais do que um barco, e que Jesus não havia entrado
com Seus discípulos na embarcação, pois eles haviam partido sós. 23
Entretanto, outros barcos chegaram de Tiberíades, perto do lugar

onde comeram o pão depois de o Senhor haver dado graças. 24 Então,
quando a multidão se deu conta de que nem Jesus nem Seus discípulos
estavam ali, entrou nos barcos e foi a Cafarnaum, em busca de Jesus.

JESUS, O PÃO DA VIDA

25 E, achando-O na outra margem, disseram-Lhe: "Rabi, quando chegaste
aqui?". 26 Jesus respondeu-lhes, dizendo: "Em verdade, em verdade,
Eu lhes digo que Me buscam não pelos sinais que viram, mas porque
comeram do pão e ficaram satisfeitos. 27 Trabalhem não pela comida
que perece, mas pela comida que permanece para a vida eterna, a qual
o Filho do Homem dará a vocês; porque o Pai, Deus, colocou sobre
Ele Seu selo". 28 Então, perguntaram a Ele: "O que devemos fazer para
realizar as obras de Deus?". 29 Jesus lhes respondeu: "A obra de Deus
é esta: creiam nAquele que Ele enviou". 30 Então, disseram-Lhe: "Que
sinal, pois, fazes Tu para que o vejamos e creiamos em Ti? Que obras
fazes? 31 Nossos pais comeram o maná no deserto, como está escrito:
'Deu-lhes a comer o pão do céu'". 32 Jesus, então, lhes disse: "Em ver-
dade, em verdade, Eu lhes digo: Moisés não deu o pão do céu a vocês,
porque é Meu Pai Quem lhes dá o verdadeiro pão do céu. 33 Porque
o pão de Deus é Aquele que desceu do céu e dá vida ao mundo". 34
Disseram-Lhe, pois: "Senhor, dá-nos sempre desse pão". 35 Jesus, então,
lhes afirmou: "Eu sou o pão da vida. Aquele que vem a Mim nunca terá
fome e quem crê em Mim jamais terá sede. 36 Mas Eu já lhes disse
que vocês Me viram, mas ainda não creram. 37 Todo aquele que o Pai
Me dá virá a Mim; e o que vem a Mim de maneira alguma o lançarei
fora. 38 Porque Eu desci do céu não para fazer Minha vontade, mas a
vontade dAquele Que Me enviou. 39 E esta é a vontade do Pai, que

Me enviou: que Eu não perca nenhum daqueles que Me deu, mas que
os ressuscite no último dia. 40 Porque esta é a vontade dAquele que
Me enviou: que todo aquele que vê o Filho, e que nEle crê, tenha vida
eterna; e Eu o ressuscitarei no último dia".

OS JUDEUS MURMURAM

41 Os judeus murmuravam a Seu respeito, porque Ele dissera: "Eu sou
o pão que desceu do céu". 42 E diziam: "Este não é Jesus, filho de José,
Cujo pai e mãe conhecemos? Como, pois, Ele diz 'Desci do céu'?". 43
Jesus, então, lhes disse: "Não murmurem entre si. 44 Ninguém pode
vir a Mim se o Pai, Que Me enviou, não o trouxer; e Eu o ressuscitarei
no último dia. 45 Está escrito nos Profetas: 'E todos serão ensinados
por Deus'. Portanto, todo aquele que ouviu do Pai e aprendeu vem
a Mim. 46 Não que alguém tenha visto o Pai, a não ser Aquele que
veio da parte de Deus; somente este viu o Pai. 47 Em verdade, em
verdade, Eu lhes digo: quem crê em Mim tem vida eterna. 48 Eu sou
o pão da vida. 49 Seus pais comeram o maná no deserto e morre-
ram. 50 Este é o pão que desce do céu, para que comam dEle e não
morram. 51 Eu sou o pão vivo que desceu do céu. Se alguém comer
deste pão, viverá para sempre; e o pão que Eu darei é Minha carne,
que Eu darei pela vida do mundo". 52 E, assim, os judeus debatiam
entre si, dizendo: "Como Ele poderá nos dar a comer Sua carne?". 53
Jesus, então, lhes disse: "Em verdade, em verdade, Eu lhes digo: se
não comerem a carne do Filho do Homem, e não beberem de Seu
sangue, não terão vida em si mesmos. 54 Quem come Minha carne e
bebe Meu sangue tem a vida eterna, e Eu o ressuscitarei no último
dia. 55 Porque Minha carne é verdadeira comida, e Meu sangue é

verdadeira bebida. 56 Quem come Minha carne e bebe de Meu sangue
permanece em Mim, e Eu, nele. 57 Assim como o Pai, que vive, Me
enviou e Eu vivo pelo Pai, assim quem de Mim se alimenta também
viverá por Mim. 58 Este é o pão que desceu do céu. Não é como
seus antepassados, que comeram o maná e morreram. Quem comer
deste pão viverá eternamente". 59 Ele disse essas coisas na sinagoga
enquanto ensinava em Cafarnaum.

OS DISCÍPULOS SE ESCANDALIZAM

60 Ao ouvir isso, muitos de Seus discípulos disseram: "Essa Palavra é
dura; quem poderá ouvir?". 61 Jesus, contudo, como sabia que Seus
discípulos murmuravam isso, disse a eles: "Isso ofende vocês? 62 O
que acontecerá, então, se virem o Filho do Homem subir para onde
estava antes? 63 O Espírito é o que dá a vida, e a carne para nada
aproveita; as palavras que Eu lhes tenho dito são espírito e vida. 64
Mas há alguns de vocês que não creem". Porque Jesus sabia, desde
o princípio, quem eram os que não criam, e quem era aquele que O
entregaria. 65 E continuou: "Por isso, Eu lhes disse que ninguém pode
vir a Mim se não lhe for concedido pelo Pai". 66 Desde então, muitos
de Seus discípulos voltaram atrás e já não andavam mais com Ele.
67 Então, Jesus disse aos doze: "Acaso, vocês também querem afas-
tar-se?". 68 E Simão Pedro Lhe respondeu: "Senhor, a quem iremos?
Tu tens as Palavras da vida eterna. 69 E nós temos crido e conhecido
que tu és o Cristo, o Filho do Deus vivo". 70 Jesus, então, disse: "Não
escolhi vocês, os doze? Contudo, um de vocês é um diabo". 71 Ele
se referia a Judas Iscariotes, filho de Simão, porque este era o que iria
entregá-Lo, embora fosse um dos doze.

ESSE JESUS É UM PÃO!

A palavra-chave deste capítulo é "pão". Ela aparece aqui 19 vezes. O episódio começa com a fome das pessoas que se reuniram em um lugar remoto para ouvir Jesus. Chama atenção a maneira como Ele testou os discípulos antes da multiplicação dos pães.

"Onde vamos comprar comida para toda esta gente?" Ele sabia muito bem o que ia fazer, mas disse isso para ver qual seria a resposta de Filipe. (João 6.5,6)

Deus sempre sabe muito bem o que vai fazer. Todos os dias de nossa vida já são do conhecimento dEle. Seus planos a nosso respeito são sempre bons. Porém, muitas vezes **Ele "deixa a coisa rolar", para ver qual será a nossa resposta, a nossa reação.** É aí que muitos perdem a fé, se desesperam, tentam resolver as coisas com as próprias mãos.

Filipe foi logo pegando a calculadora e fazendo contas. Cinco mil homens, mais mulheres e crianças... Nem com dez mil reais daria para todo mundo comer.

André já foi mais proativo. Achou um rapaz que tinha cinco pães e dois peixes, mas logo apontou que aquilo não era nada para a multidão.

Filipe representa as pessoas calculistas, que querem provas de tudo para crerem. Foi esse mesmo Filipe que três anos depois de já andar com Jesus, Lhe pediu: "Senhor, mostra-nos o Pai e isso nos basta". E Jesus lhe respondeu com surpresa: "Faz tanto tempo que estou com vocês, Filipe, e você ainda não Me conhece? Quem Me vê também vê o Pai. Por que é que você diz: 'Mostre-nos o Pai'?" (João 14.8,9).

Essas pessoas custam muito a crer, porque são mais presas ao que podem ver, entender e tocar. Passam a vida ouvindo falar de Deus, mas não O conhecem.

André representa as pessoas que até creem, mas com limites. Enxergam mais o tamanho do problema do que o poder de Deus.

Às vezes somos Filipe; às vezes, André. Às vezes somos a multidão faminta que só busca Jesus quando está com fome. **Às vezes somos como os judeus** que, mesmo depois de comerem do pão que Jesus ofereceu, O abandonaram quando Ele os chamou para um compromisso maior, para fazer dEle o alimento diário para suas vidas.

Abra os seus olhos. Olhe além do que é físico. Confie em Deus no meio da necessidade. Reaja bem nos momentos de prova. Entregue a Ele tudo o que você tem.

Quem comer desse Pão nunca terá falta de nada — e ainda ganhará a vida eterna de quebra.

6

ANOTAÇÕES

Compartilhe seus comentários em rna.to/joao21

DIA 7

SE NÃO DÁ NA JUDEIA,
VAMOS PARA A GALILEIA

A INCREDULIDADE DOS IRMÃOS DE JESUS

APÓS ESSES FATOS, JESUS COMEÇOU a andar pela Galileia; Ele não
queria andar pela Judeia, porque os judeus procuravam matá-Lo.
2 Estava próxima a festa dos judeus, a dos Tabernáculos. 3 Seus
irmãos Lhe disseram: "Sai daqui e vai para a Judeia, para que
também Teus discípulos vejam as obras que fazes. 4 Porque não
há ninguém que, buscando tornar-se conhecido, age às escon-
didas. Se fazes essas coisas, manifesta-Te ao mundo". 5 Pois nem
mesmo Seus irmãos criam nEle. 6 Jesus, então, disse a eles: "Meu
tempo ainda não chegou, mas o de vocês sempre está pronto.
7 O mundo não pode odiá-los, mas Me odeia, porque Eu dou
testemunho de que suas obras são más. 8 Subam vocês para
a festa. Eu ainda não subirei, pois Meu tempo ainda não está
cumprido". 9 E, dito isso, ficou na Galileia.

JESUS NA FESTA DOS TABERNÁCULOS

10 Mas, depois de Seus irmãos já terem partido para a festa, Ele
também foi, não publicamente, mas em segredo. 11 Os judeus
O procuravam na festa e indagavam: "Onde está Aquele?". 12 E
havia muitos murmúrios a respeito dEle entre a multidão. Alguns
diziam: "Ele é bom", enquanto outros afirmavam: "Não, Ele engana
o povo". 13 Mas ninguém falava dEle abertamente, por medo dos
judeus. 14 Mas, no meio da festa, Jesus subiu ao Templo e começou
a ensinar. 15 E os judeus se maravilhavam, dizendo: "Como Ele
pode conhecer as Escrituras sem haver estudado?". 16 E Jesus lhes
respondeu: "Minha doutrina não é Minha, mas dAquele que Me
enviou. 17 Aquele que quiser fazer a vontade de Deus saberá se
a doutrina é de Deus ou se falo por Mim mesmo. 18 Quem fala
por si mesmo busca a própria glória, mas quem busca a glória
daquele que o enviou é verdadeiro e nele não há injustiça. 19
Moisés não deu a Lei a vocês? No entanto, nenhum de vocês
a observa. Por que desejam matar-Me?". 20 A multidão, então,
respondeu: "Tu tens demônio, quem está procurando matar-Te?".
21 E Jesus respondeu a eles: "Fiz uma obra e todos vocês se
maravilharam. 22 Pois bem: Moisés lhes deu a circuncisão (não
que seja de Moisés, mas dos patriarcas), e vocês circuncidam o
homem no sábado. 23 Se o homem pode receber a circuncisão
no sábado, para que a Lei de Moisés não seja quebrada, por que
ficam indignados contra Mim porque curei completamente um
homem no sábado? 24 Não julguem segundo a aparência, mas,
sim, conforme um justo juízo".

ESTE É O CRISTO?

25 Então, alguns de Jerusalém diziam: "Não é Este a Quem buscam
matar? 26 Ele está falando publicamente e nada Lhe dizem. Será que as
autoridades reconheceram que, em verdade, Este é o Cristo? 27 Nós,
todavia, sabemos de onde Ele é. Mas, quando o Cristo vier, ninguém
saberá de onde veio". 28 Então, Jesus clamou no Templo, ensinando
e dizendo: "Vocês Me conhecem e sabem de onde sou; e Eu não
vim de Mim mesmo, mas Aquele que Me enviou é verdadeiro, e
vocês não O conhecem. 29 Mas Eu O conheço, porque dEle sou e
Ele Me enviou". 30 E, embora quisessem prendê-Lo, ninguém Lhe
pôs a mão porque ainda não havia chegado a Sua hora. 31 E muitos
da multidão creram nEle e diziam: "Quando o Cristo vier, fará ainda
mais sinais do que os que Este tem feito?".

OS FARISEUS ENVIAM GUARDAS PARA PRENDER JESUS

32 Os fariseus ouviram que o povo murmurava essas coisas a respeito dEle. Então, os fariseus e os chefes dos sacerdotes mandaram
guardas para O prenderem. 33 E Jesus lhes disse: "Estou com vocês
por um pouco mais de tempo e depois irei para Aquele que Me
enviou. 34 Vocês Me procurarão e não Me encontrarão; e aonde
estarei vocês não poderão ir". 35 Então, os judeus diziam uns para
os outros: "Para onde Ele irá que não O encontraremos? Será que vai
para os dispersos entre os gregos e ensinará a eles? 36 O que significa
isso que Ele disse: 'Vocês Me procurarão e não Me encontrarão' e
'Aonde estarei vocês não poderão ir'?".

RIOS DE ÁGUA VIVA

37 No último e grande dia da festa, Jesus levantou-Se e clamou:
"Se alguém tem sede, venha a Mim e beba. 38 Quem crê em Mim,
como diz a Escritura, de seu interior correrão rios de água viva".
39 Ele disse isso referindo-se ao Espírito que receberiam aqueles
que cressem nEle, pois o Espírito Santo ainda não havia sido
dado, porque Jesus ainda não fora glorificado. 40 Então, alguns
da multidão, ouvindo essas palavras, diziam: "Verdadeiramente
este é o Profeta". 41 Outros diziam: "Este é o Cristo". Outros,
porém, perguntavam: "Será que o Cristo virá da Galileia? 42 A
Escritura não diz que o Cristo vem da descendência de Davi, e
da aldeia de Belém, de onde também era Davi?". 43 Assim, houve
dissensão entre o povo por causa dEle. 44 Alguns, inclusive,
queriam prendê-Lo, mas ninguém pôs a mão sobre Ele.

OS GUARDAS VOLTAM SEM JESUS

45 Os guardas foram ao encontro dos chefes dos sacerdotes e fari-
seus, e estes lhes perguntaram: "Por que não O trouxeram?" 46 E
os guardas responderam: "Nunca homem algum falou assim como
Este". 47 Então, os fariseus perguntaram: "Vocês também foram
enganados? 48 Porventura alguma das autoridades creu nEle? Ou
algum dos fariseus? 49 Essa multidão, que não conhece a Lei, é
maldita". 50 Nicodemos, aquele que fora encontrar-se com Jesus à
noite e que era um deles, disse-lhes: 51 "Por acaso nossa Lei julga
um homem sem primeiro ouvi-lo e, assim, ter conhecimento do que
faz?". 52 Ao que responderam a ele: "Acaso tu também és da Galileia?

Examina e verás que nunca surgiu profeta algum de lá". [53] E cada um foi para sua casa.

SE NÃO DÁ NA JUDEIA, VAMOS PARA A GALILEIA

Você deve ter percebido aqui que: os próprios irmãos de Jesus não criam nEle; que o povo ainda estava bem dividido sobre quem Ele era, se o Messias ou um maluco qualquer; que Ele, tendo dito no capítulo anterior que era o Pão da vida, agora diz que também tem a água viva, o Espírito Santo, para quem crer nEle; e que os líderes religiosos estão cada vez mais irados com Ele.

Mas não é nesses pontos que eu quero focar.

Uma coisa nos chama atenção à maneira como o Senhor Jesus lidou com a ameaça de morte que recebeu dos judeus no capítulo 5. Lembre-se, Ele curou um homem no sábado e por isso foi acusado de desobedecer a Lei de Moisés. E, por isso, o capítulo 7 já começa dizendo:

Depois disso, Jesus começou a andar pela Galileia; Ele não queria andar pela Judeia, pois os líderes judeus dali estavam querendo matá-Lo.

Observe que, apesar da ameaça, e de não poder andar livremente pela Judeia, Jesus não se escondeu em Nazaré, nem se fechou em um quarto com medo ou depressão. Antes, *começou a andar pela Galileia*. Continuou fazendo o Seu trabalho onde podia, como podia, para quem queria.

Quando nós não podemos fazer o que queremos e onde queremos, devemos fazer o que podemos, como e onde podemos.

Você deve ter percebido também que três vezes neste capítulo é mencionado que a "hora não é chegada", ou seja, Jesus sabia que tudo tinha sua hora.

Mesmo assim, se não era hora de uma coisa, então era hora de outra — mas nunca hora de não fazer nada.

Precisamos desse discernimento. Precisamos saber fazer o que o agora nos permite, enquanto aguardamos o que só o depois nos permitirá.

É hora de fazer o que, aí, agora, onde você está, com o que tem?

Se não pode fazer o que gostaria, o que você PODE fazer?

ANOTAÇÕES

Compartilhe seus comentários em rna.to/joao21

DIA 8

TRATAMENTO DE CHOQUE

A MULHER ADÚLTERA

JESUS, PORÉM, FOI PARA O monte das Oliveiras. 2 Pela manhã cedo,
voltou ao Templo e todo o povo vinha a Ele, e, sentado, os ensinava. 3
Então, os escribas e fariseus Lhe trouxeram uma mulher surpreendida
em adultério e, pondo-a no meio de todos, 4 disseram-Lhe: "Mestre,
esta mulher foi encontrada cometendo adultério 5 e, na Lei, Moisés nos
mandou apedrejar mulheres assim. Tu, pois, o que dizes?". 6 Diziam isso
para tentá-Lo, a fim de terem do que acusá-Lo. Mas Jesus, inclinando-se,
escrevia com o dedo na terra. 7 E, como insistissem em Lhe perguntar,
endireitou-Se e disse-lhes: "**Aquele que, entre vocês, estiver sem pecado
deve ser o primeiro a atirar pedra contra ela**". 8 E, tornando a Se inclinar,
continuou escrevendo na terra. 9 Porém, eles, ao ouvirem isso, acusados
por sua consciência, saíram um a um, a começar pelos mais velhos até
os últimos; ficaram somente Jesus e a mulher que estava no meio. 10
Jesus, então, endireitou-Se e, não vendo ninguém mais além da mulher,
disse a ela: "**Mulher, onde estão aqueles que te acusavam? Ninguém te**

condenou?". 11 E ela disse: "Ninguém, Senhor". Então, Jesus lhe disse:
"Nem Eu te condeno. Vai e não peques mais".

JESUS CRISTO, A LUZ DO MUNDO

12 E Jesus falou ao povo por mais outra vez: "Eu sou a luz do mundo.
Quem Me segue não andará em trevas, mas terá a luz da vida". 13
Então os fariseus Lhe disseram: "Tu dás testemunho de Ti mesmo.
Teu testemunho não é verdadeiro". 14 Jesus lhes respondeu: "Ainda
que Eu dê testemunho de Mim mesmo, meu testemunho é verdadeiro, porque sei de onde vim e para onde vou. Mas vocês não
sabem de onde venho nem para onde vou. 15 Vocês julgam segundo
a carne; mas Eu não julgo ninguém. 16 E, se Eu julgo, Meu juízo é
verdadeiro, porque não sou Eu só, mas Eu e o Pai, Que Me enviou.
17 E na Lei de vocês está escrito que o testemunho de dois homens
é verdadeiro. 18 Eu dou testemunho de Mim mesmo; e o Pai, que Me
enviou, também dá testemunho de Mim". 19 E perguntaram: "Onde
está Teu Pai?". E Jesus respondeu: "Nem conhecem a Mim, nem a
Meu Pai. Se Me conhecessem, também conheceriam Meu Pai". 20
Jesus disse essas palavras na área das ofertas, ensinando no Templo,
e ninguém O prendeu, porque ainda não havia chegado Sua hora.

AONDE EU VOU, VOCÊS NÃO PODEM IR

21 Outra vez, Jesus disse ao povo: "Vou embora e vocês vão Me procurar,
mas morrerão em seus pecados. Para onde Eu vou, vocês não podem
ir". 22 E os judeus diziam: "Será que vai matar a Si mesmo, pois afirma:
'Para onde Eu vou, vocês não podem ir'?". 23 Mas Jesus lhes disse: "Vocês

são de baixo, Eu sou de cima; vocês são deste mundo, Eu não sou deste
mundo. 24 Por isso disse que morrerão em seus pecados, porque, se
não crerem que Eu Sou, morrerão em seus pecados". 25 Então, Lhe
perguntaram: "Quem és Tu?". Jesus lhes respondeu: "Exatamente o que
estou dizendo a vocês desde o princípio. 26 Tenho muito a dizer e a
julgar em relação a vocês. Mas Aquele que Me enviou é verdadeiro,
e Eu tenho falado ao mundo somente o que ouço dEle". 27 Mas não
entenderam que Ele lhes falava do Pai. 28 Então, Jesus lhes disse: "Quando
vocês levantarem o Filho do Homem, então entenderão que Eu Sou,
e que nada faço de Mim mesmo; apenas falo como o Pai Me ensinou.
29 E Aquele que Me enviou está Comigo. O Pai não Me tem deixado
só, porque Eu faço sempre o que Lhe agrada". 30 Enquanto Ele dizia
essas coisas, muitos creram nEle.

A VERDADE OS LIBERTARÁ

31 Jesus dizia aos judeus que criam nEle: "Se vocês permanecerem
em Minha Palavra, verdadeiramente serão Meus discípulos, 32 e
conhecerão a verdade, e a verdade os libertará". 33 Responderam-
-Lhe: "Somos descendentes de Abraão e nunca fomos escravos de
ninguém. Como Tu dizes que seremos livres?". 34 Jesus lhes respon-
deu: "Em verdade, em verdade, Eu digo a vocês que todo aquele
que comete pecado é escravo do pecado. 35 O escravo não fica
para sempre em casa; o filho fica para sempre. 36 Portanto, se o
Filho libertar vocês, serão verdadeiramente livres. 37 Sei que vocês
são da descendência de Abraão; contudo, procuram matar-Me,
porque Minha Palavra não tem lugar em vocês. 38 Eu falo daquilo
que vi junto de Meu Pai, e vocês fazem o que ouviram de seu pai".

O FILHO FAZ AS OBRAS DO PAI

39 Responderam a Ele: "Nosso pai é Abraão". Ao que Jesus lhes disse: "Se
vocês fossem filhos de Abraão, fariam as obras de Abraão. 40 Mas agora
procuram matar a Mim, o Homem Que tem dito a vocês a verdade que
ouviu de Deus. Abraão não fez isso. 41 Vocês fazem as obras de seu pai".
Então eles se insurgiram, dizendo-Lhe: "Não nascemos de prostituição;
temos um Pai, que é Deus". 42 Mas Jesus lhes disse: "Se Deus fosse seu
Pai, vocês certamente Me amariam, pois Eu vim de Deus e aqui estou.
Não vim de Mim mesmo; Ele Me enviou. 43 Por que não entendem
Minha linguagem? É porque não podem compreender Minha Palavra. 44
Vocês são de seu pai, o diabo, e querem satisfazer os desejos dele. Ele
foi homicida desde o princípio, e não se firmou na verdade, porque não
há verdade nele. Quando ele mente, fala do que lhe é próprio, porque
é mentiroso e pai da mentira. 45 E porque Eu lhes digo a verdade, não
creem em Mim. 46 Qual de vocês Me acusa de pecado? Se Eu lhes digo
a verdade, por que não creem em Mim? 47 Quem é de Deus ouve as
Palavras de Deus; por isso vocês não as ouvem, porque não são de
Deus". 48 Os judeus responderam: "Não temos razão quando afirmamos
que Tu és samaritano e que tens demônio?". 49 Jesus respondeu: "Eu não
tenho demônio; ao contrário, honro Meu Pai e vocês Me desonram. 50
Eu não busco Minha glória; há quem a busque e julgue. 51 Em verdade,
em verdade, Eu lhes digo que aquele que guardar Minha Palavra nunca
provará da morte". 52 Então Lhe disseram os judeus: "Agora sabemos
que tens demônio, pois Abraão morreu, assim como os profetas, e Tu
dizes: 'Aquele que guardar Minha Palavra nunca provará da morte'. 53 És
maior do que nosso pai Abraão, que morreu? Os profetas, igualmente,
morreram. Quem Tu pensas que és?". 54 Jesus, então, respondeu: "Se Eu

glorifico a Mim mesmo, Minha glória nada significa; Quem Me glorifica
é Meu Pai, o Qual vocês afirmam ser Seu Deus. 55 Porém, vocês não
O conhecem, mas Eu O conheço; se disser que não O conheço, serei
mentiroso como vocês. Mas Eu O conheço e guardo Sua Palavra. 56
Abraão, o pai de vocês, alegrou-se por ver Meu Dia. Ele o viu e se
alegrou". 57 Os judeus, então, Lhe disseram: "Não tens nem cinquenta
anos e viste Abraão?". 58 Jesus lhes disse: "Em verdade, em verdade,
Eu digo a vocês que, antes que Abraão existisse, Eu Sou". 59 Pegaram,
então, em pedras para apedrejá-Lo. Mas Jesus Se ocultou e, passando
por entre eles, saiu do Templo.

TRATAMENTO DE CHOQUE

Aqui vemos uma das discussões mais quentes entre Jesus e os religiosos judeus. Algumas das palavras "suaves" que Ele usou em referência a eles incluíram "escravos do pecado", "assassinos", "filhos do diabo", "não são de Deus", "são daqui de baixo", "vão morrer sem perdão de seus pecados" e "mentirosos". Não foi à toa que, no fim do capítulo, os religiosos pegaram em pedras para matar Jesus.

Por que Jesus foi tão duro com eles?

Ele mesmo deu a razão: "A verdade vos libertará". Aqueles religiosos nunca ouviram aquelas palavras. Ninguém jamais teve coragem de falar o que eles precisavam ouvir. Eles estavam cheios de si mesmos, convencidos de sua santidade por causa da religiosidade que praticavam. Estavam tão cegos quanto um morcego. Por isso, precisavam de um tratamento de choque. Ou acordavam ou morriam de uma vez.

Você já foi duramente confrontado pela verdade? Algum dia a verdade já o machucou? Foi difícil ouvir aquelas palavras? O que você fez? Mudou ou atacou quem lhe disse a verdade?

Quem gosta de mentira é filho do diabo. Ele sim é mestre em agradar os ouvidos das pessoas, fazendo com que sintam muito bem consigo mesmas enquanto cegamente caminham para o inferno.

Jesus coloca todos nós em xeque com estas verdades:

- Se vivemos no pecado, somos escravos dele
- Se não aceitamos Jesus como quem Ele diz ser, morreremos sem perdão de pecados (Ele deixa isso claro no v.24; atenção, religiosos e incrédulos que consideram Jesus apenas um profeta ou bom mestre)
- Quem mente é filho do diabo, bem como todos os que fazem o que o diabo faz (nem todos são filhos de Deus, afinal)
- Ou você é de Deus ou do diabo, não há terceira opção
- Ou você é do mundo de cima ou do mundo daqui de baixo

Pode ficar com raiva, se quiser. A verdade está dita.

ANOTAÇÕES

Compartilhe seus comentários em rna.to/joao21

DIA 9

JESUS, O ENCRENQUEIRO

JESUS CURA UM CEGO DE NASCENÇA

PASSANDO JESUS, VIU UM HOMEM cego de nascença. 2 Seus discípulos
Lhe perguntaram: "Rabi, quem pecou para que ele nascesse cego: ele
próprio ou seus pais?". 3 Jesus lhes respondeu: "Nem ele pecou nem
seus pais. Isso aconteceu para que as obras de Deus se manifestem
nele. 4 É necessário que Eu faça as obras dAquele Que Me enviou
enquanto é dia. A noite vem e, então, ninguém pode trabalhar. 5
Enquanto estou no mundo, Eu sou a luz do mundo". 6 Tendo dito
isso, cuspiu na terra, fez lama com Sua saliva e untou com a lama
os olhos do cego. 7 E disse-lhe: "Vai, lava-te no tanque de Siloé"
(que significa o Enviado). O homem foi, lavou-se e voltou vendo.
8 Então, os vizinhos e aqueles que antes tinham visto que era cego
diziam: "Este não é aquele homem que ficava sentado mendigan-
do?". 9 Uns diziam: "É ele mesmo". E outros: "Parece-se com ele". E
o homem dizia: "Sou eu". 10 E lhe perguntaram: "Como teus olhos
foram abertos?". 11 E ele respondeu: "O homem que se chama Jesus

fez lama, untou meus olhos e me disse: 'Vai, lava-te no tanque de
Siloé'. Então, fui, lavei-me e adquiri a visão". 12 E perguntaram-lhe:
"Onde Ele está?". Ele respondeu: "Não sei".

OS FARISEUS INTERROGAM O CEGO CURADO

13 Assim, levaram aquele que antes era cego até os fariseus. 14 E era
um sábado quando Jesus fez a lama e abriu os olhos do homem. 15
Então, os fariseus tornaram a lhe perguntar como havia adquirido
a visão, e ele respondeu: "Ele colocou lama sobre os meus olhos, eu
me lavei e agora vejo". 16 Então, alguns dos fariseus diziam entre si:
"Este homem não é de Deus, porque não guarda o sábado". Outros
diziam: "Como pode um homem pecador fazer esses sinais?". E havia
dissensão entre eles. 17 Tornaram, pois, a dizer ao cego: "Tu, o que
dizes de Quem te abriu os olhos?". E ele disse: "Que Ele é Profeta".
18 Os judeus, porém, não acreditaram que ele fosse cego e que agora
enxergasse, até que lhe chamaram os pais. 19 E lhes perguntaram:
"Este é o filho de vocês, que afirmam ter nascido cego? Como é
que agora ele vê?". 20 Seus pais responderam: "Sabemos que este é
nosso filho e que nasceu cego, 21 mas não sabemos como agora pode
enxergar. Também não sabemos quem abriu seus olhos. Perguntem
a ele, pois tem idade suficiente. E ele falará por si mesmo". 22 Seus
pais disseram isso porque tinham medo dos judeus, porque os
judeus haviam decidido que, se alguém confessasse que Jesus era o
Messias, seria expulso da sinagoga. 23 Por isso seus pais disseram:
"Perguntem a ele, pois tem idade suficiente". 24 Assim, voltaram a
chamar o homem que havia sido cego e disseram-lhe: "Dá glória a

Deus; nós sabemos que esse homem é pecador". 25 E ele respondeu:
"Se é pecador, não sei. Sei apenas que eu era cego e agora vejo". 26
Tornaram a lhe dizer: "O que Ele fez contigo? Como abriu teus
olhos?". 27 E o homem respondeu: "Já disse a vocês e não ouviram.
Por que querem ouvir de novo? Por acaso querem também ser Seus
discípulos?". 28 Então, eles o insultaram e disseram: "Tu és discípulo
dEle; nós, porém, somos discípulos de Moisés. 29 Sabemos que Deus
falou a Moisés, mas, quanto a Este, não sabemos de onde vem". 30 O
homem retrucou: "Isso é uma coisa estranha, que vocês não saibam
de onde Ele é, embora tenha aberto meus olhos. 31 Sabemos que Deus
não ouve os pecadores, mas Ele ouve quando alguém é temente a Ele
e faz Sua vontade. 32 Desde o princípio do mundo, nunca se ouviu
que alguém abrisse os olhos de um cego de nascença. 33 Se Este não
fosse de Deus, nada poderia ter feito". 34 Disseram-lhe, então: "Tu
nasceste cheio de pecados e queres ensinar a nós?". E o expulsaram.

CEGUEIRA ESPIRITUAL

35 Jesus ouviu que o haviam expulsado e, encontrando-o, perguntou:
"Tu crês no Filho de Deus?". 36 E ele respondeu: "Quem é, Senhor,
para que eu creia nEle?". 37 Ao que Jesus lhe disse: "Tu já o tens visto
e é Aquele que fala contigo". 38 E ele disse: "Creio, Senhor". E O
adorou. 39 Jesus acrescentou: "Eu vim a este mundo para julgamento,
a fim de que os que não veem vejam, e os que veem se tornem
cegos". 40 Alguns dos fariseus que estavam com Ele, ao ouvirem
isso, disseram-Lhe: "Será que nós também somos cegos?". 41 Jesus
respondeu-lhes: "Se vocês fossem cegos, não teriam pecado. Mas,
como agora dizem 'Vemos', o pecado permanece em vocês".

JESUS, O ENCRENQUEIRO

Ainda fresco do confronto do capítulo anterior, lá vai Jesus arrumar encrenca com os fariseus de novo. Decide novamente curar alguém no sábado. Nem as ameaças de morte O intimidaram. Esse é o Jesus em quem eu creio! Valente, corajoso, destemido e encrenqueiro (para os religiosos). Ele veio para abalar o status quo.

É impossível você conhecer o verdadeiro Jesus e não ter os alicerces de suas crenças e tradições abalados.

Mas a história da cura do cego começa com uma pergunta estúpida dos discípulos. "Quem pecou, ele ou os pais para que nascesse cego?" Estúpida, porque como poderia o homem pecar antes de nascer?

Perceba aqui que a pergunta também se originou de crenças religiosas. Não são as religiões que gostam de culpar os pecados das pessoas pelos seus problemas e assim sentenciá-las a sofrer por castigo, sem solução? Quem leu desde o capítulo um até aqui e ainda não entendeu isso, entenda de uma vez: a religião emburrece, a fé em Jesus abre a mente.

Vemos ainda outra aberração da religião neste capítulo: a submissão dos pais do cego aos religiosos, por medo de serem expulsos da sinagoga. Nem a cura do próprio filho superou o cabresto que a religião havia posto sobre eles. Ô praga! Assim são muitos que vivem escravizados pelas religiões deste mundo. Eles, sim, são cegos.

Mas é muito bom ver a progressão de fé daquele cego. Ele começou sem nem saber quem era Jesus, e mesmo assim foi curado. Isso prova que não é preciso conhecer a Deus para receber um milagre. Basta crer e obedecer. Mas milagre recebido não quer dizer salvação recebida.

Daí, quando interrogado pelos fariseus sobre quem ele achava que Jesus era, o cego respondeu: "É um profeta". Concluiu isso, pois sabia que era alguém de Deus, que fazia o bem. Muitos também creem que Jesus foi apenas um bom mestre, um profeta como outros, que ensinou muitas coisas boas. Mas essa crença não é suficiente.

Por isso Jesus foi atrás do cego, depois de este ter sido promovido com a expulsão da sinagoga, e Se revelou a ele como o Salvador. E o cego então, prontamente, se ajoelhou e creu nEle. Foi salvo.

Essa é a progressão de fé que você também precisa ter. Talvez você nem saiba quem é Jesus. Talvez já tenha ouvido falar e sabe que Ele foi alguém muito bom. Mas você ainda não se ajoelhou para Ele, não creu que Ele é quem diz ser.

Esse ajoelhar é muito mais que literal. Significa viver sua vida em submissão total a Ele, romper com a religião e passar a viver a fé inteligente todos os dias.

Você crê?

ANOTAÇÕES

Compartilhe seus comentários em rna.to/joao21

DIA 10

MAIS BURRO QUE UM JUMENTO

A PARÁBOLA DO REDIL

"EM VERDADE, EM VERDADE, EU lhes digo: O que não entra
pela porta no redil das ovelhas, mas sobe por outra parte, esse
é ladrão e salteador. 2 Mas o que entra pela porta é o pastor das
ovelhas. 3 A este o porteiro abre a porta e as ovelhas ouvem a
sua voz. Chama pelo nome suas ovelhas e as conduz para fora.
4 E, quando as conduz para fora, vai na frente delas, e as ovelhas
o seguem porque conhecem sua voz. 5 Mas não seguirão o es-
tranho. Pelo contrário, fugirão dele, porque não conhecem sua
voz." 6 Jesus usou esta parábola, mas eles não entenderam do que
Ele estava falando.

JESUS, O BOM PASTOR

7 Então, Jesus tornou a lhes dizer: "Em verdade, em verdade Eu
lhes digo: Eu sou a porta das ovelhas. 8 Todos aqueles que vieram

antes de Mim são ladrões e salteadores, mas as ovelhas não os
ouviram. 9 Eu sou a porta. Se alguém entrar por Mim será salvo;
entrará, sairá e encontrará pastagem. 10 O ladrão vem apenas
para roubar, matar e destruir; Eu vim para que tenham vida e
para que a tenham em abundância. 11 Eu sou o bom pastor; o
bom pastor dá Sua vida pelas ovelhas. 12 Mas o mercenário,
aquele que não é pastor, a quem as ovelhas não pertencem, vê
o lobo chegar, abandona as ovelhas e foge; e o lobo as ataca e
dispersa. 13 Ora, o mercenário foge porque é mercenário e não
se preocupa com as ovelhas. 14 Eu sou o bom pastor, conheço
Minhas ovelhas, e elas Me conhecem, 15 assim como o Pai Me
conhece, e Eu conheço o Pai; e dou Minha vida pelas ovelhas. 16
Ainda tenho outras ovelhas que não são deste aprisco; também
devo trazê-las. Elas ouvirão Minha voz e haverá um só rebanho e
um só pastor. 17 Por isso, o Pai Me ama, porque Eu dou Minha vida
para retomá-la. 18 Ninguém a tira de Mim, pois Eu a dou de Mim
mesmo. Tenho poder para dá-la e poder para retomá-la. Recebi
esse mandamento de Meu Pai". 19 E, por causa dessas palavras,
voltou a haver divisão entre os judeus. 20 Muitos diziam: "Tem
demônio e está fora de si. Por que vocês o ouvem?". 21 Outros
diziam: "Essas palavras não são de endemoninhado. Acaso um
demônio pode abrir os olhos dos cegos?".

OS JUDEUS RECHAÇAM JESUS

22 Celebrava-se a Festa da Dedicação em Jerusalém. Era inverno. 23
Jesus caminhava no Templo, no Pórtico de Salomão. 24 Os judeus
O rodearam e Lhe perguntaram: "Até quando deixarás nossa alma

em suspense? Se Tu és o Cristo, dize isso a nós abertamente". 25
Jesus lhes respondeu: "Eu lhes disse e vocês não creram nisso.
As obras que Eu faço, em Nome de Meu Pai, dão testemunho de
Mim. 26 Mas vocês não creem porque não são Minhas ovelhas,
como já lhes disse. 27 Minhas ovelhas ouvem Minha voz, Eu as
conheço e elas Me seguem. 28 Eu lhes dou a vida eterna, jamais
perecerão, e ninguém as arrebatará de Minha mão. 29 Meu Pai,
Que Me deu as ovelhas, é maior do que todos; e ninguém pode
arrebatá-las da mão dEle. 30 Eu e o Pai somos um". 31 Então,
novamente os judeus pegaram pedras para apedrejá-Lo. 32 Jesus
lhes disse: "Tenho mostrado a vocês muitas obras boas de Meu
Pai. Por qual delas vocês estão Me apedrejando?". 33 Os judeus
responderam a Ele: "Não queremos Te apedrejar por nenhuma
obra boa, mas pela blasfêmia, porque Tu, embora sendo homem,
Te fazes Deus". 34 Jesus disse a eles: "Não está escrito na Lei de
vocês: 'Eu disse: Vocês são deuses'? 35 Se a Lei chamou deuses
àqueles a quem veio a Palavra de Deus (e a Escritura não pode
ser anulada), 36 Àquele a Quem o Pai santificou e enviou ao
mundo, vocês dizem que blasfema porque afirma: 'Sou Filho de
Deus'? 37 Se não faço as obras de Meu Pai, não creiam em Mim.
38 Mas, se as faço, ainda que não creiam em Mim, creiam nas
obras, para que saibam e acreditem que o Pai está em Mim e Eu
nEle". 39 Procuravam prendê-Lo mais uma vez, mas Ele escapou de
suas mãos. 40 Novamente, Se retirou para além do Jordão, para o
lugar em que João batizava nos primeiros dias; e ali permaneceu.
41 E muitos iam a Seu encontro e diziam: "Na verdade, João não
fez sinal algum, mas tudo quanto João disse a respeito dEste era
verdade". 42 E muitos ali creram nEle.

MAIS BURRO QUE UM JUMENTO

O objetivo principal de Jesus neste capítulo é ensinar as pessoas a distinguirem entre os verdadeiros representantes de Deus e os falsos, bem como os verdadeiros e os falsos seguidores de Deus. Ele usa a analogia do relacionamento entre o pastor e ovelhas para ilustrar isso.

Os fariseus, que estavam ali ouvindo aquele discurso com o povo, se julgavam os verdadeiros representantes de Deus na terra. Queriam que o povo rejeitasse Jesus, como a um impostor. Jesus, então, abriu os olhos do povo e o ensinou como detectar e separar o verdadeiro do falso.

VERDADEIRO PASTOR	FALSO PASTOR
ENTRA PELA PORTA, POIS TEM DIREITO E AUTORIDADE, NÃO TEM NADA A ESCONDER.	ENTRA PELA JANELA, COMO LADRÃO, POR CONTA PRÓPRIA, E SEM SER CONVIDADO.
QUEM É DA VERDADE RECONHECE SUA VOZ.	QUEM É INCAUTO OU GOSTA DA MENTIRA PREFERE SUA VOZ.
QUEM É DE DEUS O SEGUE.	QUEM É DE DEUS FOGE DELE.
VAI NA FRENTE DAS PESSOAS, DEFENDENDO-AS E LUTANDO POR ELAS.	QUANDO A SITUAÇÃO NÃO LHE É FAVORÁVEL, ABANDONA AS PESSOAS.
SÓ QUER O BEM DAS PESSOAS, SACRIFICA-SE PARA QUE ELAS TENHAM VIDA COMPLETA.	SÓ QUER OS BENS, O DINHEIRO DAS PESSOAS, NÃO HESITA EM SACRIFICÁ-LAS POR SI MESMO.
DÁ A VIDA PELAS PESSOAS.	ESTÁ MAIS PREOCUPADO COM A PRÓPRIA VIDA.

Hoje, mais que nunca, com tantos autonomeados pastores, apóstolos, bispos, missionários, evangelistas, ministros disso e daquilo por aí, precisamos desse discernimento. Quem é quem? Quem se apontou e quem foi apontado por Deus? Como separar os bandidos dos mocinhos? A lista acima, dada pelo próprio Senhor Jesus, nos dá a dica.

Mas note também que a única razão por que falsos líderes existem é a existência de falsos seguidores.

Jesus disse claramente que quem é ovelha dEle, conhece Sua voz e O segue — mas estranha a voz do bandido e foge dele. Como o próprio Deus disse em Isaías 1.3:

O boi conhece seu dono e o jumento sabe onde o seu dono põe seu alimento, mas o Meu povo não sabe nada, o povo de Israel não entende coisa nenhuma.

Até os animais conhecem seus donos, mas as pessoas não reconhecem a Deus. Hoje em dia até o smartphone reconhece a voz e as digitais do dono. Parece que máquinas e animais se tornaram mais inteligentes que o ser humano.

Você tem fugido dos falsos?

Tem obedecido a voz do Verdadeiro Pastor?

ANOTAÇÕES

Compartilhe seus comentários em rna.to/joao21

DIA 11

RAIVA EM VEZ DE TRISTEZA

A MORTE DE LÁZARO

NA OCASIÃO, UM HOMEM CHAMADO Lázaro estava enfermo. Ele
era de Betânia, da aldeia de Maria e de sua irmã Marta. 2 (Maria,
cujo irmão Lázaro estava enfermo, foi aquela que ungiu o Senhor
com perfume e Lhe enxugou os pés com seus cabelos.) 3 Então,
enviaram as irmãs de Lázaro para dizer a Jesus: "Senhor, aquele
a quem amas está enfermo". 4 Ao ouvir isso, Jesus disse: "Essa
enfermidade não é para morte, mas para a glória de Deus, a fim
de que o Filho de Deus seja glorificado por meio dela". 5 Jesus
amava Marta, a irmã dela e Lázaro. 6 Quando, pois, ouviu que
Lázaro estava doente, ainda permaneceu por mais dois dias no
lugar em que estava. 7 Logo depois disso, falou aos discípulos:
"Vamos à Judeia outra vez". 8 Mas os discípulos argumentaram:
"Rabi, ainda agora os judeus procuravam Te apedrejar e Tu irás
outra vez para lá?" 9 Jesus, então, respondeu: "O dia não tem
doze horas? O que anda durante o dia não tropeça, porque vê

a luz deste mundo; 10 porém aquele que anda à noite tropeça,
porque não há luz nele". 11 Em seguida, disse-lhes: "Nosso amigo
Lázaro está dormindo, mas Eu vou despertá-lo". 12 Seus discípulos
disseram: "Senhor, se estiver dormindo, vai melhorar". 13 Jesus
se referia à morte de Lázaro, mas eles pensavam que falava do
repouso do sono. 14 Então, Jesus lhes disse abertamente: "Láza-
ro morreu; 15 alegro-Me por vocês por não ter estado lá, para
que creiam, mas agora vamos até ele". 16 Então, Tomé, também
chamado Dídimo, disse a seus condiscípulos: "Vamos também
nós, para morrermos com ele".

JESUS CRISTO, A RESSURREIÇÃO E A VIDA

17 Quando Jesus chegou, constatou que Lázaro já estava no sepulcro
havia quatro dias. 18 Betânia ficava perto de Jerusalém, cerca de
dois mil e setecentos metros; 19 e muitos dos judeus foram a Marta
e Maria para consolá-las por causa de seu irmão. 20 Então, Marta,
quando ouviu que Jesus vinha, saiu a Seu encontro, enquanto
Maria ficou sentada em casa. 21 Marta disse a Jesus: "Senhor, se
estivesses aqui, meu irmão não teria morrido. 22 Mas também sei
que Deus dará a Ti tudo o que pedires a Ele". 23 Jesus declarou a
ela: "Teu irmão ressuscitará". 24 Marta Lhe disse: "Já sei que ele
ressuscitará na ressurreição, no último dia". 25 Mas Jesus disse: "Eu
sou a ressurreição e a vida; aquele que crê em Mim, ainda que
tenha morrido, viverá. 26 E todo aquele que vive e crê em Mim não
morrerá eternamente. Crês nisso?". 27 Ela Lhe disse: "Sim, Senhor.
Eu creio que Tu és o Cristo, o Filho de Deus, que veio ao mundo".

JESUS CHORA DIANTE DO TÚMULO DE LÁZARO

28 Depois de ter dito isso, foi para casa e chamou Maria, sua irmã,
dizendo-lhe em segredo: "O Mestre está aqui e te chama". 29 Ela,
ao ouvir, levantou-se depressa e foi a Seu encontro. 30 Jesus ainda
não havia entrado na aldeia, porque estava no lugar onde Marta
foi recebê-Lo. 31 Então, os judeus que estavam em casa com ela e
a consolavam, ao verem que Maria se levantara e saíra depressa,
seguiram-na, dizendo: "Vai ao sepulcro para chorar". 32 E Maria,
quando chegou ao local em que Jesus estava, ao vê-Lo, lançou-se
a Seus pés, dizendo-Lhe: "Senhor, se estivesses aqui, meu irmão
não teria morrido". 33 Jesus, então, ao vê-la chorando, e também
os judeus que a acompanhavam, estremeceu interiormente, e se
inquietou, 34 indagando: "**Onde vocês o colocaram?**". E respon-
deram a Ele: "Senhor, vem e vê". 35 Jesus chorou. 36 E os judeus
disseram: "Vejam como Ele o amava". 37 E alguns acrescentaram:
"Ele, que abriu os olhos do cego, não podia também fazer com
que Lázaro não morresse?".

A RESSURREIÇÃO DE LÁZARO

38 Jesus, agitando-Se novamente em Si mesmo, foi ao sepulcro.
Era uma gruta com uma pedra colocada à entrada. 39 E Ele disse:
"**Removam a pedra**". Marta, a irmã do morto, disse a Ele: "Senhor,
já fede, porque é de quatro dias". 40 Jesus, nesse momento, lhe
disse: "**Não te disse que, se creres, verás a glória de Deus?**". 41
Tiraram, pois, a pedra de onde haviam colocado o morto. E Jesus,

levantando os olhos ao alto, disse: "Pai, graças Te dou por Me
ouvires. 42 Eu sei que sempre Me ouves, mas digo isso por causa
da multidão que está ao Meu redor, para que creiam que Tu me
enviaste". 43 E, tendo dito isso, ordenou em voz alta: "Lázaro, vem
para fora!" 44 E aquele que morrera saiu com as mãos e os pés
atados com faixas, e com o rosto envolto em um sudário. Jesus
lhes disse: "Desatem as faixas dele e deixem-no ir".

O COMPLÔ PARA MATAR JESUS

45 Então, muitos dos judeus que tinham vindo para acompanhar
Maria e viram o que Jesus fez creram nEle. 46 Porém, alguns foram
até os fariseus para contar a eles o que Jesus havia feito. 47 Então,
os chefes dos sacerdotes e os fariseus reuniram o Sinédrio e dis-
seram: "O que faremos? Porque este homem faz muitos sinais.
48 Se o deixarmos assim, todos crerão nEle. Então, os romanos
virão e destruirão nosso lugar santo e nossa nação". 49 Caifás, um
deles, que, naquele ano, era sumo sacerdote, disse-lhes: "Vocês
não sabem nada, 50 nem se dão conta de que nos convém que
um só homem morra pelo povo, e não que toda a nação pereça".
51 Não disse isso por si mesmo, mas, como era o sumo sacerdote
naquele ano, profetizou que Jesus morreria pela nação, 52 e não
somente por esta, mas também para reunir em um só povo os
filhos de Deus que estavam dispersos. 53 Assim, desde aquele
instante, decidiram, de comum acordo, que iriam matá-Lo. 54
Portanto, Jesus já não andava mais abertamente entre os judeus,
distanciando-Se dali para uma região mais próxima ao deserto,
uma cidade chamada Efraim. E ali ficou com Seus discípulos. 55 A

Páscoa dos judeus estava próxima, e, daquela região, muitos subiram para Jerusalém antes da Páscoa, a fim de se purificar.
[56] Procuravam Jesus e, no Templo, perguntavam-se uns aos outros: "O que parece a vocês? Será que não virá para a festa?". [57]
Os chefes dos sacerdotes e os fariseus tinham dado ordens para que, se alguém soubesse onde Ele estava, O denunciasse, para que, assim, pudessem prendê-Lo.

RAIVA EM VEZ DE TRISTEZA

Jesus aproveita a doença e a morte de Lázaro para mostrar Sua superioridade sobre ambas. Perceba a demora proposital de Jesus para atender ao chamado de Marta e Maria e vir socorrer o irmão enfermo. Às vezes não entendemos por que as respostas às nossas orações são demoradas ou nunca chegam como queremos. Mas os que confiam na sabedoria e no plano maior de Deus sempre recebem a melhor resposta.

Jesus teve uma reação um tanto estranha nos versículos 33 e 38 ao deparar-se com a morte de Lázaro, suas irmãs e os judeus que ali choravam. Diz que Jesus *moveu-Se muito em espírito, e perturbou-Se*. O original grego usa uma palavra muito forte para descrever isso, *enebrimēsato* (ἐνεβριμήσατο), que tem o sentido de "repreender fortemente, ficar bravo, com raiva no espírito".

O sentimento que você normalmente espera ter ao ouvir que alguém muito querido morreu é de tristeza. Mas Jesus ficou bravo, com raiva, perturbado com aquilo tudo. Por quê?

Algumas razões incluem:

- A incredulidade das irmãs, mesmo tendo Ele dito para elas que, se cressem, veriam a glória de Deus.
- A reação emotiva de todos, chorando, derrotados diante da morte, ainda que estivessem diante do Autor da Vida sem O reconhecer.
- Os comentários dos judeus que questionavam se Jesus realmente amava Lázaro, visto que "não fez nada por ele".
- A raiva que sentiu ao ver o estado caído, fraco e impotente das pessoas diante da doença e da morte, ambas consequências do pecado humano.

Por isso, com raiva santa, Jesus logo avançou com convicção e veemência para ressuscitar Lázaro, mostrando assim Sua supremacia sobre a morte.

É claro que tudo aquilo foi um grande ensinamento deixado para nós. Temos também de ter raiva no espírito contra toda incredulidade e sentimentalismo que nos enfraquecem, contra as dúvidas sobre Deus e raiva também do pecado, que nos mata aos poucos e, no final, nos lança no inferno. Temos de crer totalmente no Autor da Vida e vencer tudo isso.

Ainda hoje, não há solução para a morte e inúmeras doenças que afligem a humanidade. Mas como Jesus disse:

Eu sou a ressurreição e a vida.
Quem crê em Mim, ainda que morra,
viverá; e quem vive e crê em Mim
nunca morrerá. Você acredita nisso?

VOCÊ ACREDITA?

Então receba VIDA aí, agora, onde você está, ao ler isso!

11

ANOTAÇÕES

Compartilhe seus comentários em rna.to/joao21

DIA 12

FOGO, LENHA E DINHEIRO

JESUS CRISTO É UNGIDO EM BETÂNIA

SEIS DIAS ANTES DA PÁSCOA, Jesus foi a Betânia, onde estava Lá-
zaro, o que estivera morto e a quem ressuscitara dos mortos. 2 E,
ali, prepararam uma ceia para Ele. Marta servia, enquanto Lázaro
estava sentado à mesa com Ele. 3 Então, Maria pegou um frasco com
cerca de trezentos mililitros de perfume de nardo puro, valiosíssi-
mo, ungiu os pés de Jesus e os enxugou com seus cabelos. E a casa
encheu-se do aroma do perfume. 4 Um de Seus discípulos, Judas
Iscariotes, filho de Simão, o que iria entregá-Lo, disse: 5 "Por que
esse perfume não foi vendido por trezentas moedas de prata para
serem entregues aos pobres?" 6 Porém, ele disse isso não porque se
interessasse pelos pobres, mas porque era ladrão; e, como responsá-
vel pela bolsa de dinheiro, costumava tirar o que colocavam nela. 7
Então, Jesus disse: "Deixem-na. Ela guardou isso para o dia de Meu
sepultamento. 8 Porque sempre terão os pobres com vocês, mas
nem sempre terão a Mim".

O COMPLÔ CONTRA LÁZARO

9 E uma grande multidão de judeus soube que Ele estava ali e, então,
veio, não somente por causa de Jesus, mas também para ver Lázaro,
a quem Ele havia ressuscitado dos mortos. 10 Porém, os chefes dos
sacerdotes haviam decidido, de comum acordo, matar também
Lázaro; 11 porque muitos judeus, por causa dele, se apartavam e
criam em Jesus.

A ENTRADA MESSIÂNICA EM JERUSALÉM

12 No dia seguinte, grandes multidões que vieram à festa, ao sabe-
rem que Jesus vinha a Jerusalém, 13 pegaram ramos de palmeira e
saíram a Seu encontro, clamando: "Hosana! Bendito Aquele que
vem em Nome do Senhor, o Rei de Israel!". 14 E Jesus encontrou
um jumentinho e montou nele, como está escrito: 15 "Não temas,
filha de Sião, pois teu Rei vem montado sobre o filho de uma
jumenta". 16 No início, Seus discípulos não entenderam o que se
passava, mas, quando Jesus foi glorificado, então se lembraram
de que essas coisas estavam escritas a respeito dEle e do que havia
feito. 17 A multidão que estava com Ele quando chamou Lázaro
do sepulcro, ressuscitando-o dos mortos, continuou dando tes-
temunho ao povo, 18 motivo pelo qual o povo também foi a Seu
encontro, porque tinha ouvido que Ele fizera este sinal. 19 Mas
os fariseus disseram uns aos outros: "Vejam: não conseguimos
nada. Olhem como o mundo O segue".

ALGUNS GREGOS PROCURAM O SENHOR

20 Entre aqueles que subiam para adorar na festa, havia alguns gre-
gos. 21 Estes, pois, aproximaram-se de Filipe, que era de Betsaida da
Galileia, e rogaram a ele: "Senhor, queremos ver Jesus". 22 Filipe foi
dizer isso a André, e ambos transmitiram essa informação a Jesus.
23 Jesus, então, lhes respondeu: "Chegou a hora em que o Filho do
Homem será glorificado. 24 Em verdade, em verdade, Eu lhes digo
que, se o grão de trigo não cair na terra e morrer, ficará só; mas,
se morrer, dará muitos frutos. 25 Quem ama sua vida a perderá; e
aquele que odeia sua vida neste mundo a guardará para a vida eterna.
26 Se alguém Me serve, siga-Me; e, onde Eu estiver, ali também Meu
servo estará. E Meu Pai honrará a quem Me serve.

JESUS CRISTO ANUNCIA SUA MORTE

27 "Agora Minha alma está angustiada. O que direi? Pai, salva-Me desta
hora? Não, pois foi para essa hora que Eu vim. 28 Pai, glorifica Teu
Nome". Foi quando uma voz veio do céu: "Já O glorifiquei e outra
vez O glorificarei". 29 E a multidão que ali estava, e que tinha ouvido,
disse que fora um trovão. Outros diziam: "Um anjo falou com Ele". 30
Jesus, então, respondeu: "Esta voz não veio por Minha causa, mas por
causa de vocês. 31 Chegou a hora de este mundo ser julgado; agora, o
príncipe deste mundo será lançado fora. 32 E Eu, quando for levantado
da terra, atrairei todos a Mim". 33 E dizia isso dando a entender que
tipo de morte iria ter. 34 O povo respondeu a Ele: "Temos ouvido da

Lei que o Cristo permanecerá para sempre. Como, então, Tu dizes
que é necessário que o Filho do Homem seja levantado? Quem é este
Filho do Homem?" 35 Então, Jesus lhes disse: "A luz ainda está entre
vocês. Andem, pois, enquanto a têm, para que não lhes surpreendam
as trevas, porque aquele que anda nas trevas não sabe para onde vai.
36 Enquanto vocês têm a luz, creiam nela, para que sejam filhos da
luz". Jesus falou essas coisas e partiu, ocultando-Se deles.

A INCREDULIDADE DOS JUDEUS

37 No entanto, mesmo tendo feito todos esses milagres diante deles,
não criam nEle, 38 para que se cumprisse a palavra do profeta Isaías,
que disse: "Senhor, quem creu em nossa pregação? E a quem o braço
do Senhor se revelou?". 39 Por isso não podiam crer, porque Isaías
também disse: 40 "Cegou-lhes os olhos e endureceu-lhes o coração,
para que não vejam com os olhos nem entendam com o coração, e
se convertam, e Eu os cure". 41 Isaías disse isso quando viu Sua glória,
falando a Seu respeito. 42 Contudo, muitos dos governantes creram
nEle, mas não confessavam isso por causa dos fariseus, para não
serem expulsos da sinagoga, 43 porque amavam mais a glória dos
homens que a glória de Deus.

AS PALAVRAS DE JESUS JULGAM OS HOMENS

44 Jesus clamou: "Quem crê em Mim não crê apenas em Mim,
mas nAquele Que Me enviou; 45 e aquele que Me vê, vê também
Quem Me enviou. 46 Eu, a luz, vim ao mundo para que todo

aquele que crê em Mim não permaneça nas trevas.[47] Eu não julgo aquele que ouve Minhas Palavras e não as guarda, porque não vim para julgar o mundo, mas para salvá-lo.[48] Quem Me rejeita e não recebe Minhas Palavras tem quem o julgue: a Palavra que falei o julgará no último dia.[49] Porque Eu não tenho falado por Minha própria conta, mas por conta do Pai Que Me enviou; Ele Me ordenou o que dizer e o que tenho de falar.[50] E Eu sei que Seu mandamento é a vida eterna. Assim, pois, falo aquilo que o Pai Me ordenou que dissesse".

FOGO, LENHA E DINHEIRO

Já no início do capítulo, Jesus volta novamente a Betânia, cidade onde os eventos do capítulo anterior aconteceram. No final do capítulo 11, depois de ressuscitar Lázaro e gerar outra comoção na cidade, Ele se retira para Efraim, região central e montanhosa de Israel, de difícil acesso, aproximadamente 40 quilômetros ao norte de Jerusalém. Ficou lá por um tempo com Seus discípulos, visto que os líderes judeus a essa altura já estavam planejando Sua morte e andavam à Sua procura.

O que observei foi que essa atitude de Jesus era um padrão. Ele vinha e causava algum alvoroço (mesmo que fosse sem querer); quando as coisas esquentavam e os judeus tentavam prendê-Lo ou matá-Lo, Ele se retirava para algum lugar distante e deixava as coisas esfriarem por um tempo. Claro, enquanto isso, seguia trabalhando (como fez no capítulo 7). Depois, voltava novamente. Mesmo aqui, neste capítulo, podemos vê-Lo fazendo isso (no versículo 36).

É importante às vezes "nos retirarmos" do meio da agitação para recobrarmos nossas forças, ajustarmos nosso foco, planejarmos nosso próximo passo. Poderíamos chamar esse padrão de "cortar lenha, queimar lenha". Há hora de afiar o machado e cortar lenha. E há hora de fazer uma fogueira. Depois do fogo baixar, precisamos cortar mais lenha... E, assim, tanto o cortar lenha quanto o queimar lenha nos aquece. É o exercício da inteligência e da fé, da prudência e da ação.

Em sua vida agora, é hora de cortar lenha ou acender o fogo?

Um outro evento digno de comentário foi a reação de Judas à atitude de Maria de "desperdiçar" aquele caríssimo perfume aos pés de Jesus. Trezentas moedas de prata equivaliam a trezentos dias de trabalho de um trabalhador comum. O salário integral de um ano de trabalho duro. O que significa que, para um trabalhador comum poder viver normalmente e ainda ter aquela quantidade de nardo puro, era necessário sacrificar e economizar por alguns anos.

Note que Judas, mais tarde, venderia o Senhor Jesus por apenas dez por cento desse valor, ou seja, trinta moedas de prata. Esse era o valor de Jesus para ele. Não é de surpreender que tenha ficado horrorizado com a oferta de Maria.

O tema *dinheiro e ofertas* sempre será um divisor de pessoas e opiniões. Isso porque poucas coisas mexem mais com o ser humano do que o dinheiro.

Para uns, dízimos e ofertas são um absurdo, um roubo, uma exploração, um desperdício. Para outros, são dignas expressões de fé, gratidão e amor pelas bênçãos impagáveis de Deus.

As pessoas do tipo Judas estão sempre pensando o que poderiam fazer com X de dinheiro para si. As pessoas do tipo Maria estão sempre pensando no que mais poderiam dar a Jesus para representar sua entrega pessoal.

Assim como o dinheiro foi o laço e o fim de Judas, também o tem sido para muita gente.

Por outro lado, para outros, o desprender das coisas materiais tem sido o começo de uma nova vida.

ANOTAÇÕES

Compartilhe seus comentários em rna.to/joao21

DIA 13

AMANDO QUEM NÃO MERECE

JESUS LAVA OS PÉS DOS DISCÍPULOS

ANTES DA FESTA DA PÁSCOA, sabendo Jesus que havia chegado Sua hora
de passar deste mundo para o Pai, tendo amado os Seus que estavam
no mundo, amou-os até o fim.[2] Durante a ceia, como o diabo já havia
colocado no coração de Judas Iscariotes, filho de Simão, que entregasse
Jesus, [3] e como Jesus sabia que o Pai Lhe dera todas as coisas nas mãos,
e que Ele viera de Deus e a Deus voltaria,[4] levantou-Se, descobriu-Se
de Seu manto e, pegando uma toalha, colocou-a em volta da cintura.[5]
Pôs água em uma bacia e começou a lavar os pés dos discípulos e a
enxugá-los com a toalha com que estava cingido. [6] Aproximou-Se, pois,
de Simão Pedro, e este Lhe disse: "Senhor, Tu vais lavar meus pés?"[7]
Jesus, então, respondeu: **"Agora Tu não compreendes o que Eu faço,
mas depois irás entender".**[8] Pedro Lhe disse: "Senhor, jamais irás lavar
meus pés". Ao que Jesus respondeu: **"Se não te lavar, não terás parte
Comigo".**[9] Simão Pedro, então, Lhe disse: "Senhor, lava não só meus
pés, mas também as mãos e a cabeça". [10] E Jesus lhe disse: **"Aquele que**

está lavado não necessita lavar senão os pés, pois está todo limpo, e
vocês estão limpos, embora não todos". 11 Porque Ele sabia quem O
entregaria, e por isso disse: "Nem todos vocês estão limpos".

HUMILDADE

12 Depois de lavar os pés dos discípulos, tomou Seu manto e, pondo-Se de
novo à mesa, disse-lhes: "Compreendem o que fiz?" 13 Vocês Me chamam
de Mestre e Senhor, e estão certos, porque Eu o sou. 14 E, se Eu, mesmo
sendo Senhor e Mestre, tenho lavado seus pés, vocês também devem
lavar os pés uns dos outros. 15 Porque Eu tenho dado exemplo a vocês,
para que, como Eu tenho feito, vocês também façam. 16 Em verdade, em
verdade, Eu lhes digo que o servo não é maior que seu senhor, nem o
enviado é maior do que aquele que o enviou. 17 Se vocês sabem essas
coisas, serão felizes se as colocarem em prática. 18 Não falo de todos
vocês, pois conheço aqueles a quem escolhi, mas para que se cumpra a
Escritura: 'Aquele que Comigo come pão levantou seu calcanhar contra
Mim'. 19 Desde agora estou revelando esses fatos a vocês antes que
aconteçam, para que, quando acontecerem, creiam que Eu Sou. 20 Em
verdade, em verdade, Eu lhes digo: quem recebe aquele que Eu enviei
recebe a Mim, e quem recebe a Mim recebe Aquele que Me enviou".

JESUS ANUNCIA A TRAIÇÃO DE JUDAS

21 Dito isso, Jesus inquietou-Se em Seu espírito e deu testemunho, dizendo:
"Em verdade, em verdade, Eu lhes digo que um de vocês Me trairá". 22
Então, os discípulos se entreolharam sem saber de quem Ele falava. 23 Ao
lado de Jesus, um de Seus discípulos, aquele a quem Ele amava, estava

recostado.24 Simão Pedro sinalizou a este, a fim de que perguntasse de quem Ele falava.25 Ele, então, reclinando-se ainda mais próximo ao peito de Jesus, indagou-Lhe: "Senhor, quem é que vai Te trair?".26 Ao que Jesus respondeu: "É aquele a quem Eu der o pão molhado". E, molhando o pão, entregou-o a Judas Iscariotes, filho de Simão.27 E, assim que Judas comeu o pão, Satanás entrou nele. Então, Jesus disse a Judas Iscariotes: "O que for fazer, faça-o logo".28 Porém, nenhum dos que estavam à mesa entendeu por que Jesus lhe dissera isso.29 Como era Judas quem tinha a bolsa de dinheiro, alguns pensavam que Jesus lhe dissera para que comprasse o que necessitavam para a festa, ou que desse algo aos pobres.30 E Judas, tão logo comeu o pedaço de pão, saiu. E era noite.

O NOVO MANDAMENTO

31 Assim que ele saiu, Jesus disse: "Agora o Filho do Homem foi glorificado e Deus foi glorificado nEle.32 Se Deus foi glorificado nEle, Deus também glorificará o Filho em Si mesmo, e O glorificará em breve.33 Filhinhos, ainda permanecerei com vocês por pouco tempo. Vocês vão me procurar, mas, como Eu disse aos judeus, e agora lhes digo: 'Vocês não poderão ir aonde Eu vou'. 34 Eu lhes dou um novo mandamento: que amem uns aos outros como Eu os amei, que assim também tenham amor uns pelos outros. 35 Dessa forma, se tiverem amor uns pelos outros, todos saberão que são Meus discípulos".

JESUS ANUNCIA A NEGAÇÃO

36 Simão Pedro Lhe perguntou: "Senhor, aonde vais?" E Jesus lhe respondeu: "Tu não podes seguir-Me agora aonde Eu vou, mas Me

seguirás mais tarde".[37] Pedro insistiu: "Senhor, por que não posso Te seguir agora? Eu darei minha vida por Ti". [38] Jesus, então, respondeu: "Tu darás a vida por Mim? Em verdade, em verdade, Eu te digo que o galo não cantará antes que Me tenhas negado três vezes".

AMANDO QUEM NÃO MERECE

Todo este capítulo se dá ao redor de uma mesa de jantar, com Jesus e os doze discípulos. Jesus sabia que "era chegada Sua hora", portanto quis passar Seus últimos momentos bem perto dos discípulos para lhes deixar lições preciosas. João ressalta que Senhor "amou-os até o fim".

Se tão somente os casais captassem e praticassem esse tipo de amor, o amor que ama até o fim... não se divorciariam. Não se digladiariam, nem rasgariam os corações de seus parceiros nem os de seus filhos com atitudes egoístas.

Amar até o fim. Que conceito estranho para muita gente. A maioria ama com limites. Ama até o dinheiro acabar, enquanto a "química" rolar, ou até aparecer outra pessoa mais interessante.

Olhemos também para os tipos de pessoas que Jesus amou até o fim. Um que O traiu e vendeu por trinta moedas. Outro negou três vezes que O conhecia. Outro que duvidou da ressurreição dEle. Outros que brigavam entre si pelo título de mais importante.

Homens que às vezes O irritavam a ponto de Ele desabafar, dizendo: "Até quando aguentarei vocês?".

Apesar de tudo isso, Ele os amou até o fim. E lhes deu uma lição inesquecível sobre esse tipo de amor, lavando-lhes os pés. "Eu lhes dou este novo mandamento: Amem uns aos outros. Assim como Eu os amei, amem também uns aos outros."

Esse tipo de amor não tem nada a ver com sentimentalismo, com boas maneiras recheadas de hipocrisia, nem com palavras doces com a intenção de impressionar. O amor que Jesus espera de nós aqui é o amor marcado por servir à outra pessoa, considerá-la maior que nós mesmos, mesmo que não seja.

Honestamente, quantas vezes falhamos em praticar esse amor? Quantas vezes queremos fazer qualquer coisa menos servir àquela pessoa chata, mesquinha, que nos irrita como uma pedra no sapato? Quantas vezes nos consideramos maiores e mais importantes que os outros?

Jesus não apenas nos dá esse novo mandamento, como também afirma que a prática dele é o sinal de que realmente somos Seus discípulos.

Impossível de cumprir?

Somente quem já conheceu e recebeu o amor de Deus pessoalmente pode oferecer esse tipo de amor para a esposa, o marido, amigos e inimigos. Como não dar um pouco para quem não merece, se eu, sem merecer, recebi tanto?

ANOTAÇÕES

Compartilhe seus comentários em rna.to/joao21

DIA 14

JUNTO E MISTURADO

JESUS CRISTO, O CAMINHO AO PAI

"QUE NÃO SE INQUIETE O coração de vocês. Creiam em Deus
e também em Mim.[2] Na casa de Meu Pai há muitas moradas; do
contrário, já teria dito a vocês. Vou preparar o lugar de vocês.[3]
E, quando Eu for e preparar seu lugar, virei outra vez e os levarei
Comigo para que vocês estejam onde Eu estiver.[4] Vocês sabem
para onde Eu vou e também conhecem o caminho."[5] Tomé Lhe
disse: "Senhor, não sabemos para onde vais, como poderemos
saber o caminho?".[6] Jesus, então, lhe respondeu: "Eu sou o ca-
minho, a verdade e a vida. Ninguém vem ao Pai se não for por
Mim.[7] Se vocês Me conhecessem, também conheceriam Meu
Pai. Desde agora vocês O conhecem e O têm visto".[8] Filipe
Lhe disse: "Senhor, mostra-nos o Pai, e isso nos basta".[9] Jesus lhe
disse: "Filipe, há tanto tempo estou com vocês e ainda não Me
conhecem? Quem Me vê, vê o Pai. Então, como tu me pedes:
'Mostra-nos o Pai'? [10] Não crês que Eu estou no Pai e o Pai

está em Mim? As Palavras que Eu falo não provêm de Mim, mas do Pai, que mora em Mim. Ele faz as obras.[11] Creiam-Me que Eu estou no Pai, e o Pai em Mim, creiam-Me ao menos pelas mesmas obras.[12] Em verdade, em verdade, Eu lhes digo: Aquele que crê em Mim também fará as mesmas obras que Eu faço; e fará coisas ainda maiores que essas, porque Eu vou para o Pai.[13] E Eu farei qualquer coisa que vocês peçam ao Pai em Meu Nome, para que o Pai seja glorificado no Filho.[14] Farei o que vocês pedirem em Meu Nome.

A PROMESSA DO ESPÍRITO SANTO

[15] Se Me amam, guardem Meus mandamentos.[16] E Eu rogarei ao Pai e Ele lhes dará outro Consolador, para que esteja com vocês para sempre:[17] o Espírito da verdade. O mundo não pode recebê-Lo, porque não O vê, nem O conhece, mas vocês O conhecem, porque vive com vocês e estará em vocês.[18] Eu não os deixarei órfãos; virei a vocês.[19] Daqui a pouco tempo, o mundo já não Me verá mais, mas vocês Me verão, porque Eu vivo e vocês viverão também.[20] Naquele dia vocês saberão que Eu estou em Meu Pai, vocês em Mim e Eu em vocês.[21] Quem tem Meus mandamentos e é obediente a eles é aquele que Me ama; e o que Me ama será amado por Meu Pai, e Eu também o amarei e Me manifestarei a ele".[22] Judas (não o Iscariotes) indagou a Ele: "Senhor, como é que Te manifestarás a nós, e não ao mundo?".[23] Jesus, então, respondeu: "Quem Me ama obedecerá à Minha Palavra. Meu Pai o amará, e Nós viremos a ele e, com ele, faremos morada.[24] Quem não Me ama não obedece à Minha Palavra. Essas Palavras que vocês

estão ouvindo não são Minhas, mas do Pai, Que Me enviou.[25] Eu lhes tenho dito essas coisas enquanto ainda estou com vocês.[26] Mas o Consolador, o Espírito Santo, a quem o Pai enviará em Meu Nome, ensinará a vocês todas as coisas e fará com que se recordem de tudo o que Eu tenho dito.[27] Deixo-lhes a paz, Eu lhes dou a Minha paz; Eu não a dou a vocês como o mundo a dá. Não permitam que o coração de vocês se inquiete, nem tenham medo.[28] Vocês ouviram o que Eu lhes disse: Vou, mas volto para vocês. Se Me amassem, vocês se alegrariam, porque Eu disse que vou para o Pai, e o Pai é maior que Eu.[29] Digo isso a vocês agora, antes que aconteça, para que, quando acontecer, vocês creiam.[30] Já não falarei muito com vocês, porque o príncipe deste mundo está vindo, e ele não tem nenhum direito sobre Mim.[31] Mas é preciso que o mundo saiba que Eu amo o Pai, e faço como Ele Me mandou. Levantem-se, vamos sair daqui".

JUNTO E MISTURADO

Continuando o discurso do capítulo anterior, Jesus conforta Seus discípulos e os prepara para a Sua partida. Em questão de menos de 24 horas, Ele seria preso, julgado por um tribunal ilegal, severamente castigado e crucificado como um bandido. Tamanha brutalidade causaria um forte impacto nos discípulos, além de grande temor por suas próprias vidas. Por isso, a ideia principal do Senhor aqui é fortalecê-los para o que está por vir.

Ele começa mencionando que iria para o Pai, e que agora os discípulos não poderiam acompanhá-Lo, mas Ele iria preparar uma casa para eles e em breve voltaria para buscá-los. Essa linguagem pode parecer estranha e sem sentido para nós, mas não para os discípulos. Isso porque Jesus estava se referindo ao costume praticado pelo noivo antes de se casar com a noiva, nos moldes do casamento judaico.

Durante o período de noivado, o noivo preparava um quarto para a lua de mel. Esse quarto costumava ser construído na casa do pai do noivo. A câmara nupcial, como era chamada, tinha de ser um belo lugar para se levar a noiva. A noiva e o noivo passariam sete dias lá. O quarto tinha de ser construído de acordo com as especificações dadas pelo pai do noivo. O rapaz só poderia se encontrar com a noiva quando o seu pai lhe permitisse. Se alguém perguntasse ao noivo quando seria o casamento, ele dizia: "Não cabe a mim saber; só o meu pai sabe".

Assim como o noivo dizia à sua noiva que iria preparar um lugar para ela, Jesus disse aos Seus discípulos: "Na casa do meu Pai há muitos quartos, e Eu vou preparar um lugar para vocês. Se não fosse assim, Eu já lhes teria dito. E, depois que Eu for e preparar um lugar para vocês, voltarei e os levarei comigo para que onde Eu estiver vocês estejam também" (João 14.2,3).

Que conforto, que alegria saber que, neste exato momento, o nosso Senhor Jesus está nos preparando um lugar para estarmos com Ele! Por isso, o cristão deve viver cada dia como uma noiva que aguarda o grande dia do seu casamento. Fidelidade, obediência, prontidão — pois só o Pai sabe o dia e a hora.

Outro ponto marcante desse capítulo é a ênfase que Jesus dá na unidade e igualdade que há entre Ele e o Pai, o Pai e Ele, e também entre Ele e os que praticam Suas palavras. "O Pai está em Mim, Eu estou no Pai, e Nós dois estamos em você que faz o que Nós mandamos. E como prova disso, Eu pedi ao Pai que lhe desse o Espírito Santo para ficar com você para sempre."

É mesmo como um casamento: os dois se tornam uma só carne. Se você aceitar se casar com Deus, Ele viverá "junto e misturado" com você, e você com Ele, começando aqui e agora através do Espírito Santo em você, e depois por toda a eternidade.

Esta é a vida pela fé: juntar-se totalmente a Deus de forma que já não há diferença entre nós. Quem vê a nós, vê a Deus.

Quem tem visto você, tem visto a Deus?

ANOTAÇÕES

Compartilhe seus comentários em rna.to/joao21

DIA 15

SOB A LUZ DA LUA CHEIA

JESUS CRISTO, A VIDEIRA VERDADEIRA

"EU SOU A VIDEIRA VERDADEIRA, e Meu Pai é o lavrador. 2
Ele corta todo ramo que não der fruto em Mim; e limpa todo
aquele que der fruto, para que dê mais fruto. 3 Vocês já estão
limpos pela Palavra que lhes tenho falado. 4 Permaneçam em
Mim e Eu permanecerei em vocês. Assim como o ramo não
pode dar fruto por si mesmo se não permanecer na videira,
vocês também não podem dar fruto se não permanecerem em
Mim. 5 Eu sou a videira, e vocês, os ramos; o que permanece em
Mim e Eu nele dá muito fruto; porque vocês não podem fazer
nada se estiverem separados de Mim. 6 Quem não permanece
em Mim é lançado fora como o ramo, e seca; e o apanham, e
o lançam no fogo e o queimam. 7 Se permanecerem em Mim
e Minhas palavras permanecerem em vocês, então pedirão o
que quiserem e lhes será concedido. 8 Meu Pai é glorificado
no fato de vocês darem muitos frutos; e assim também serão

Meus discípulos. 9 Assim como o Pai Me amou, também Eu os
amei; permaneçam em Meu amor. 10 Se obedecerem a Meus
mandamentos, permanecerão em Meu amor; assim como Eu
tenho obedecido aos mandamentos de Meu Pai e permaneço em
Seu amor. 11 Tenho falado essas coisas a vocês para que Minha
alegria esteja em vocês, e a alegria de vocês seja completa. 12
Meu mandamento é o seguinte: Amem-se uns aos outros, como
Eu os amei. 13 Ninguém tem maior amor do que quem dá a
vida por seus amigos. 14 Vocês são Meus amigos se fizerem tudo
aquilo que Eu mando. 15 Já não lhes chamo de servos, porque
o servo não sabe o que seu senhor faz; tenho chamado vocês
de amigos, porque transmito a vocês tudo aquilo que ouvi de
Meu Pai. 16 Vocês não Me escolheram, mas Eu os escolhi; e os
escolhi para que vão e deem frutos, e que o fruto de vocês
permaneça, para que o Pai conceda tudo o que vocês pedirem
a Ele em Meu Nome. 17 Isto é o que mando vocês fazerem:
Amem-se uns aos outros.

O MUNDO OS ODIARÁ

18 Se o mundo os odeia, saibam que, antes de vocês, odiou a
Mim. 19 Se vocês fossem do mundo, este os amaria, porque per-
tenceriam a ele, mas, como não pertencem, pois Eu os escolhi
no mundo, ele os odeia. 20 Lembrem-se do que Eu lhes tenho
dito: o servo não é maior que seu senhor. Se perseguiram a
Mim, também perseguirão vocês; se guardaram Minha Palavra,
também guardarão a de vocês. 21 E farão tudo isso a vocês por
causa de Meu Nome, porque não conhecem Aquele Que Me

enviou.[22] Se Eu não tivesse vindo, nem houvesse falado com
eles, não teriam pecado; mas, agora, eles não têm desculpa de
seu pecado.[23] Quem Me odeia também odeia Meu Pai.[24] Se Eu
não tivesse feito entre eles as obras que nenhum outro fez,
eles não teriam pecado, mas agora as viram e odiaram a Mim e
também a Meu Pai. [25] Isso é para que se cumpra a Palavra que
está escrita em sua Lei: 'Odiaram-Me sem motivo'. [26] Porém,
quando o Consolador vier, aquele que Eu enviarei a vocês do
Pai, o Espírito da verdade, Que procede do Pai, Ele dará teste-
munho a Meu respeito.[27] E vocês também darão testemunho,
porque estão Comigo desde o princípio."

SOB A LUZ DA LUA CHEIA

No final do capítulo anterior, Jesus termina dizendo aos discípulos "Levantem, vamos sair daqui!". Eles deixam o lugar em que fizeram a ceia e partem em direção ao Jardim do Getsêmani, no Monte das Oliveiras. Aproxima-se da meia-noite, a lua está cheia (a Páscoa judaica é sempre celebrada em período de lua cheia), e Jesus aqui continua dando Suas últimas orientações e consolo aos discípulos. Essas palavras foram ditas a caminho do Jardim ou quando já estavam lá.

Ao ler este capítulo, eu me transportei para esta cena e me vi ali entre os onze, ouvindo e digerindo cada palavra do Senhor Jesus, ao passo que caminhávamos juntos até nos assentarmos entre as oliveiras do Getsêmani. Essa experiência traz um entendimento muito maior e mais forte do que quando você simplesmente lê o texto impresso ou na tela de um dispositivo digital no século 21. Você deveria experimentar.

Aproveitando o cenário do jardim, Jesus compara o nosso relacionamento com Ele ao de uma videira e seus ramos. Enquanto estamos "juntos e misturados" com Ele, Ele está conosco, nós damos muito fruto, Ele nos limpa com Sua Palavra para darmos mais frutos, recebemos tudo o que pedimos, e mostramos com nossas obras e caráter que somos Seus discípulos.

Estar fora dEle, longe de um relacionamento com Ele, é o contrário de tudo isso: estamos sós, não damos frutos, não recebemos Suas Palavras de orientação (ficamos perdidos), não recebemos o que pedimos, todos veem que não há nada de Deus em nós, e nosso final é sermos lançados no fogo, como um galho seco cuja única utilidade é ser queimado. O fogo, aqui, é provavelmente uma alusão ao destino dos que escolheram viver separados de Jesus: o inferno.

Quanto aos que escolheram viver com Ele, Jesus reforça o tipo de amor que tem por eles: "Assim como o Meu Pai Me ama, Eu amo vocês" (João 15.9).

EU LHE DIGO: ESSE NÃO É UM AMOR QUALQUER!

O amor que o Pai tem por Jesus é inexprimível de tão grande e profundo. É um amor que Os iguala. A Bíblia diz que o Pai entregou tudo ao Filho, deu-Lhe um nome acima de todos os nomes, autoridade total na terra... E Jesus vem e diz, "como o Meu Pai Me ama, Eu amo vocês". Deus nos ama como ama a Jesus. Isso é demais!

Indo de um extremo ao outro, Ele fala também de um ódio que sofreríamos: o ódio do mundo, que não O conhece. Seguir Jesus não nos fará ganhar aplausos das pessoas. Começando por amigos e familiares, muitos nos criticarão e se tornarão até inimigos. E é em vão tentar convencê-los do contrário. O Pai ainda não foi revelado a eles. Não entendem a Sua mensagem.

A marca dos verdadeiros discípulos do Senhor Jesus é o ódio que o mundo tem deles. Como Ele disse, isso é para que se cumpra o que está escrito: *"Eles me odiaram sem motivo"* (Salmos 69.4).

Que bom que temos o inexplicável amor do Pai, do Filho e do Espírito Santo para compensar!

15

ANOTAÇÕES

Compartilhe seus comentários em rna.to/joao21

DIA 16

NÃO SE ESQUEÇA DA MULHER GRÁVIDA

“TENHO FALADO ESSAS COISAS A vocês para que não
venham a tropeçar. 2 Vocês serão expulsos das sinagogas e
chegará a hora em que qualquer um que mate vocês pensará
que está prestando um serviço a Deus. 3 E farão isso porque não
conhecem nem o Pai nem a Mim. 4 Tenho dito tudo isso a vocês
para que, quando chegar a hora, lembrem-se do que Eu disse.
Não lhes disse isso no princípio porque Eu estava com vocês.

A OBRA DO ESPÍRITO SANTO

5 Mas agora, que vou para Aquele Que Me enviou, nenhum de
vocês Me pergunta: ‘Para onde vais?’ 6 Ao contrário, como falei
essas coisas a vocês, a tristeza encheu seu coração. 7 Mas Eu
lhes digo a verdade: convém a vocês que Eu vá, porque, se Eu
não for, o Consolador não virá até vocês. Mas, se Eu for, Eu O
enviarei. 8 E, quando Ele vier, convencerá o mundo do pecado, da
justiça e do juízo; 9 do pecado, porque não creem em Mim; 10 da

justiça, porque Eu vou para o Pai e não mais Me verão;11 e do
juízo, porque o príncipe deste mundo já está julgado.12 Ainda
tenho muitas coisas para dizer a vocês, mas agora não podem
suportá-las.13 Porém, quando o Espírito da verdade vier, Ele
os guiará para toda a verdade; porque não falará de Si mesmo,
mas dirá tudo o que tiver ouvido e fará vocês saberem das
coisas que hão de vir.14 E Ele Me glorificará, porque receberá
do que é Meu e anunciará a vocês.15 Tudo o que pertence ao
Pai também é Meu; por isso, disse que receberá do que é Meu
e anunciará a vocês.

A TRISTEZA SE CONVERTERÁ EM ALEGRIA

16 Dentro de pouco tempo, não mais Me verão; e, logo depois,
tornarão a Me ver, porque Eu vou para o Pai."17 Então, alguns
de Seus discípulos disseram uns aos outros: "O que Ele está nos
dizendo, que 'Dentro de pouco tempo, não mais Me verão; e,
logo depois, tornarão a Me ver, porque Eu vou para o Pai'?".18
Eles se indagavam: "O que quer dizer com 'dentro de pouco
tempo'? Não sabemos o que isso significa".19 Jesus, sabendo
que queriam questioná-Lo, disse a eles: "Indagam-se uns aos
outros sobre o que Eu disse a vocês: 'Dentro de pouco tempo,
não mais Me verão; e, logo depois, tornarão a Me ver'?20 Em
verdade, em verdade, Eu lhes digo que vocês vão chorar e se
lamentar, e o mundo se alegrará; vocês se entristecerão, mas a
tristeza de vocês se converterá em alegria.21 A mulher, quando
está prestes a dar à luz, sente dor porque chegou sua hora,
porém, depois de a criança vir ao mundo, já não se lembra mais

da angústia que sentiu, pois desfruta da alegria do nascimento
de seu filho.22 Agora, vocês também sentem tristeza, mas Eu
voltarei a vê-los e seu coração se alegrará, e ninguém tirará
de vocês essa alegria.23 Nesse dia, vocês não Me perguntarão
nada. Em verdade, em verdade, Eu lhes digo que tudo o que
pedirem ao Pai, em Meu Nome, Ele lhes dará.24 Até agora,
vocês não pediram nada em Meu Nome; peçam e receberão,
para que sua alegria seja completa.

EU VENCI O MUNDO

25 Tenho falado tudo isso a vocês por meio de parábolas; che-
gará o tempo em que já não mais falarei assim, mas falarei a
vocês claramente sobre o Pai.26 Nesse dia, vocês pedirão em
Meu Nome e não lhes digo que Eu rogarei ao Pai por vocês,27
pois o próprio Pai os ama, porque vocês têm Me amado e crido
que Eu vim de Deus.28 Vim do Pai para o mundo; agora deixo
o mundo e vou para o Pai".29 Seus discípulos Lhe disseram:
"Agora falas claramente e não dizes parábola alguma.30 Agora
vemos que sabes todas as coisas e não há necessidade de que
ninguém Te questione. Cremos que vieste de Deus".31 E Jesus lhes
disse: "Agora vocês creem?32 Eis que se aproxima a hora — e
já chegou — em que vocês serão dispersos cada um para seu
lado e Me deixarão só; mas Eu não estou só, porque o Pai está
Comigo.33 Tenho falado essas coisas a vocês para que tenham
paz em Mim. No mundo, vocês terão aflição, mas tenham ânimo.
Eu venci o mundo".

NÃO SE ESQUEÇA DA MULHER GRÁVIDA

Ainda sob a lua cheia, no Jardim das Oliveiras, Jesus continua confortando os discípulos e preparando-os para os tempos difíceis prestes a começar. Não era por menos. Os discípulos haviam deixado tudo para seguirem Jesus. Trabalho, família, amigos... A esperança deles era uma vitória triunfante do Messias sobre os inimigos de Deus, a restauração de Israel do jugo romano.

Em vez disso, veriam o seu Mestre ser preso, maltratado, condenado e crucificado como se não tivesse nenhum poder. E seus nomes na lista negra dos judeus e romanos. Eles se tornariam odiados e perseguidos como o próprio Mestre. Teriam de entender finalmente que o reino que Jesus veio estabelecer não era político, mas espiritual. Então, realmente precisavam de encorajamento.

Como Jesus lhes oferece essa coragem? Usando do contraste. Deixe-me explicar.

As Palavras de Jesus neste capítulo estão cheias de contrastes, para ilustrar que algo doloroso, ruim e triste tem de acontecer para então trazer algo muito melhor:

• Se Eu não for, o Auxiliador (Espírito Santo) não virá

• Daqui a pouco vocês não vão Me ver mais; porém, pouco depois, vão Me ver novamente

• Vocês vão chorar e ficar tristes, as pessoas do mundo vão se alegrar; mas sua tristeza se tornará alegria

• No mundo vocês vão sofrer, mas sejam fortes e valentes, porque Eu venci o mundo

Para ilustrar essa grande lição, Jesus usa o exemplo da mulher grávida:

Quando uma mulher está para dar à luz, ela fica triste porque chegou a sua hora de sofrer. Mas, depois que a criança nasce, a mulher fica tão alegre, que nem lembra mais do seu sofrimento. (v.21)

Aqui está o grande segredo da fé e do sucesso. Em uma palavra: *sacrifício*. Não há como alcançar algo muito bom, uma grande alegria, sem abrir mão de alguma coisa para pagar o preço. O próprio Senhor Jesus estava passando por esse mesmo processo: ser sacrificado para alcançar a salvação de todos os que creem. Nem Ele pôde escapar dessa lei fixa para o sucesso.

Por isso Ele tenta neste capítulo imprimir essa verdade nos corações dos discípulos. "Vocês vão passar por maus momentos, dias difíceis, mas se perseverarem e não perderem a fé em Mim, o Espírito Santo lhes guiará à vitória."

Essas palavras são tão verdadeiras para nós hoje como foram para eles lá no Getsêmani. Talvez você esteja desfrutando do sucesso que pagou com o sacrifício. Ou quem sabe esteja no meio do sacrifício, lutando para alcançar o sucesso. Coragem. Força! Não desista em meio à dor.

PerdeDOR. VenceDOR.

A dor é inevitável. A diferença está no que você faz dela: seu túmulo ou sua ressurreição.

Compartilhe seus comentários em rna.to/joao21

DIA 17

VEJA O QUE ELE OROU POR VOCÊ

JESUS ORA POR SEUS DISCÍPULOS

JESUS FALOU ESSAS COISAS E, levantando os olhos ao céu, disse: "Pai,
é chegada a hora; glorifica Teu Filho, para que também Teu Filho Te
glorifique;[2] como Lhe deste poder sobre toda carne, para que dê
vida eterna a todos os que Lhe tens dado.[3] E a vida eterna é: que
conheçam a Ti, o único Deus verdadeiro, e a Jesus Cristo, a Quem
enviaste.[4] Eu Te glorifiquei na Terra, concluindo a obra que Me deste
para realizar.[5] Agora, Pai, glorifica-Me a Teu lado com aquela glória
que tive Contigo antes que o mundo existisse.[6] Manifestei Teu Nome
aos homens que Me deste do mundo; eram Teus, e Tu os entregaste a
Mim, e eles guardaram Tua Palavra.[7] Agora eles sabem que tudo que
Me tens dado procede de Ti;[8] porque Eu tenho transmitido a eles as
Palavras que Me deste; e eles as receberam, e têm reconhecido que,
verdadeiramente, procedo de Ti, e creram que Tu Me enviaste.[9] Eu rogo
por eles, não rogo pelo mundo; rogo por aqueles que Tu Me confiaste,
porque são Teus.[10] Tudo o que é Meu é Teu; e o que é Teu é Meu. E

Eu sou glorificado neles.[11] Já não permanecerei por mais tempo no
mundo, mas eles ainda estão aqui e Eu vou para Ti. Pai santo, guarda-os
em Teu Nome, o Nome Que Me tens dado, para que sejam um, assim
como Nós.[12] Enquanto estava com eles no mundo, Eu os guardava em
Teu Nome, o Nome Que Me deste; e os guardei, e nenhum deles se
perdeu, exceto o filho da perdição, para que se cumprisse a Escritura.
[13] Mas agora vou para Ti, e falo isso enquanto ainda estou no mundo,
para que tenham, em si mesmos, a plenitude de Minha alegria.[14] Eu
lhes dei Tua palavra; e o mundo os odiou, porque não são do mundo,
como também Eu não sou do mundo.[15] Não peço que os tires do
mundo, mas que guardes a todos eles do mal.[16] Não são do mundo,
como Eu também não sou do mundo.[17] Santifica-os em Tua verdade;
e Tua Palavra é a verdade.[18] Como Tu Me enviaste ao mundo, assim
Eu os enviei ao mundo.[19] E santifico a Mim mesmo por eles, para que
também eles sejam santificados na verdade.[20] Não rogo somente por
eles, mas também pelos que hão de crer em Mim por meio da palavra
deles,[21] para que todos sejam um; como Tu, Meu Pai, és em Mim, e Eu
em Ti, que eles também sejam um em Nós; e, assim, o mundo creia que
Tu Me enviaste.[22] Eu lhes dei a glória que Tu Me deste, para que sejam
um, assim como Nós o somos.[23] Eu neles, e Tu em Mim, para que sejam
perfeitos em unidade, a fim de que o mundo conheça que Tu Me enviaste
e que os amaste, assim como amaste a Mim.[24] Pai, quero que aqueles
que Tu Me confiaste estejam Comigo onde Eu estiver, para que vejam a
glória que Tu Me deste; porque Tu Me amaste desde antes da fundação
do mundo.[25] Pai justo, o mundo não Te conhece, mas Eu Te conheci, e
estes reconheceram que Tu Me enviaste.[26] E Eu fiz com que eles conhe-
cessem Teu Nome, e ainda os farei conhecer, a fim de que o amor com
que Me amaste esteja neles e, de igual modo, Eu também esteja neles".

VEJA O QUE ELE OROU POR VOCÊ

Tendo preparado os discípulos, Jesus agora ora por eles e por Si mesmo. Ele tem apenas alguns minutos antes de Judas chegar com os guardas e todo o tormento começar. Então Ele busca refúgio e forças na oração. Note aqui o poder da oração em nos sustentar nos momentos difíceis. Nunca deixe de fazer uso dessa arma. Ela está à sua disposição, a qualquer hora, em qualquer lugar.

Jesus fez essa oração especificamente pelos discípulos, não pelo mundo em geral: "Eu peço em favor deles. Não peço em favor do mundo, mas por aqueles que Me deste, pois são Teus (v. 9)".

Outro detalhe: a oração inteira aqui neste capítulo foi feita não somente pelos onze discípulos, mas por TODOS os discípulos de Jesus, inclusive os de hoje. Veja o que Ele disse: "Não peço somente por eles [os onze], mas também em favor dos que vão crer em Mim por meio da mensagem deles" (v.20). Isso inclui você e eu também! Como disse uma jovem, não é "fera" saber que Jesus orou por nós, especificamente por mim e por você? Saber que não há como o Pai não responder essa oração que o Filho fez em nosso favor? Enquanto você for um discípulo, considere-se coberto e garantido por ela!

Outro ponto interessante dessa oração é a evidência que Jesus dá da Sua eternidade, quando diz: "E agora, Pai, dá-Me na Tua presença a mesma grandeza divina que Eu tinha Contigo antes de o mundo existir" (v.5 e também v.24). Ele já existia antes da criação do mundo. Deus é eterno. E por isso quer que Seus filhos, que O amam, passem a eternidade com Ele também. Foi essa a missão principal do Senhor Jesus aqui na terra, como Ele mesmo disse no início desta oração:

Pois tens dado ao Filho autoridade sobre todos os seres humanos para que Ele dê a vida eterna a todos os que Lhe deste. E a vida eterna é esta: que eles conheçam a Ti, que és o único Deus verdadeiro; e conheçam também Jesus Cristo, que enviaste ao mundo. (vs. 2 e 3)

Você quer a vida eterna? Procure conhecer Jesus. Conhecendo Ele, você conhecerá a Deus, e assim receberá a vida eterna. Esse é o trabalho do Senhor Jesus: levar as pessoas a conhecerem o Pai. Durante esse *Desafio de João*, você está conhecendo melhor quem é Jesus, não está? Você percebe isso? Esse é o caminho.

Um último versículo que, em minha opinião, resume o relacionamento que Deus quer ter com Seus filhos:

Tudo o que é Meu, é Teu;
e o que é Teu, é Meu. (v.10)

Será que você consegue orar assim?

ANOTAÇÕES

Compartilhe seus comentários em rna.to/joao21

DIA 18

O LEÃO SE ADIANTA

A PRISÃO DE JESUS

TENDO DITO ESSAS COISAS, JESUS saiu com Seus discípulos para o outro lado do riacho de Cedrom, onde havia um horto, no qual Ele entrou com Seus discípulos.[2] Judas, que O traía, conhecia esse lugar, porque Jesus se reunira ali muitas vezes com Seus discípulos.[3] Judas foi para lá, acompanhado de um destacamento de soldados e guardas da parte dos chefes dos sacerdotes e fariseus, os quais portavam lamparinas, tochas e armas.[4] Como Jesus sabia tudo o que iria acontecer com Ele, adiantou-Se e perguntou aos homens: "Quem vocês estão procurando?".[5] E os homens responderam a Ele: "Jesus, o Nazareno". Jesus, então, disse a eles: "Eu Sou". E Judas, aquele que O traía, também estava com eles.[6] Quando lhes disse: "Eu Sou", recuaram, caindo no chão.[7] Jesus tornou a lhes perguntar: "Quem vocês estão procurando?". E eles responderam: "Jesus, o Nazareno".[8] Jesus, então, disse: "Já lhes disse que sou Eu. Assim,

se é a Mim que procuram, deixem que os outros se vão".
9
Para que se cumprisse aquilo que dissera: "Não perdi nenhum dos que Me deste".
10
Simão Pedro, que tinha uma espada, a desembainhou, ferindo o servo do sumo sacerdote, cortando-lhe a orelha direita. O servo se chamava Malco.
11
Jesus, então, disse a Pedro: "Guarda tua espada na bainha. Acaso não beberei do cálice que o Pai Me deu?".

JESUS CRISTO DIANTE DO SUMO SACERDOTE

12
Então, o destacamento de soldados, com seu dignitário, e os guardas dos judeus prenderam Jesus, amarrarando-O.
13
E, então, levaram-No primeiramente a Anás, porque era sogro de Caifás, que naquele ano era sumo sacerdote.
14
Caifás era aquele que havia aconselhado os judeus sobre como convinha que um só homem morresse pelo povo.

PEDRO NO PÁTIO DE ANÁS

15
Simão Pedro e outro discípulo seguiram Jesus. Esse discípulo era conhecido do sumo sacerdote e entrou com Jesus no pátio de sua casa.
16
Pedro, porém, estava do lado de fora, à porta. Então, o discípulo que era conhecido do sumo sacerdote saiu, falou com a criada encarregada da porta e fez Pedro entrar.
17
Então, a criada, responsável pela porteira, disse a Pedro: "Tu também não és um dos discípulos deste Homem?". E ele respondeu: "Não, não sou".
18
E, como fazia frio, os servos e guardas permaneciam de pé,

acendendo brasas[3b] para se aquecer. Pedro também estava de pé, esquentando-se com eles.

ANÁS INTERROGA JESUS

19 O sumo sacerdote perguntou a Jesus sobre Seus discípulos e Sua
doutrina.20 Jesus lhe respondeu: "Eu tenho falado publicamente ao
mundo; ensinei nas sinagogas e no Templo, onde todos os judeus
se reúnem, e nada falei às escondidas.21 Por que Me perguntas?
Pergunta àqueles que Me ouviram. Certamente, eles sabem o
que Eu tenho dito".22 Disse apenas isso, e um dos guardas que
ali estava deu-Lhe uma bofetada, dizendo: "Respondes assim ao
sumo sacerdote?".23 Jesus, então, lhe disse: "Se falei mal, testifica
onde está o mal. Mas, se falei a verdade, por que Me bates?".
24 Então, Anás O enviou, amarrado, a Caifás, o sumo sacerdote.

PEDRO NEGA JESUS CRISTO

25 Enquanto Pedro estava de pé, esquentando-se, indagaram-
-lhe: "Tu não és um de Seus discípulos?". Ele negou, dizendo:
"Não, não sou".26 Um dos servos do sumo sacerdote, parente
daquele a quem Pedro havia cortado a orelha, disse-lhe: "Eu
não te vi no horto com Ele?".27 Mas Pedro negou outra vez e,
em seguida, o galo cantou.

[3b] Em grego: *anthrakiàn* (literalmente, braseiro).

JESUS DIANTE DE PILATOS

28 Levaram Jesus da casa de Caifás ao Pretório. Era madrugada e
eles não entraram no Pretório para não se contaminar e, assim,
poder participar da Páscoa. 29 Então, Pilatos saiu ao encontro
deles e lhes perguntou: "Que acusação vocês trazem contra este
Homem?". 30 E lhe responderam: "Se este Homem não fosse mal-
feitor, não O estaríamos entregando a ti". 31 Pilatos, então, lhes
disse: "Levem-No vocês mesmos e julguem-No de acordo com
sua Lei". E os judeus argumentaram: "Mas não nos é permitido
matar ninguém". 32 Isso aconteceu para que se cumprisse o que
Jesus dissera acerca de que espécie de morte teria. 33 Pilatos tor-
nou a entrar no Pretório, chamou Jesus e Lhe indagou: "Tu és o
rei dos judeus?". 34 Ao que Jesus disse: "Vem de ti essa pergunta
ou outros lhe disseram isso a Meu respeito?". 35 Pilatos Lhe res-
pondeu: "Acaso sou judeu? Teu povo e os chefes dos sacerdotes
é que Te entregaram a mim. O que fizeste?". 36 Jesus disse: "Meu
Reino não é deste mundo; se fosse, Meus servos lutariam para
que Eu não fosse entregue aos judeus. Mas Meu Reino não é
daqui". 37 Pilatos Lhe perguntou: "Então, Tu és rei?" Ao que Jesus
respondeu: "Tu dizes que Eu sou rei. E foi por isso que Eu nasci e
vim ao mundo, a fim de dar testemunho da verdade. Todo aquele
que é da verdade ouve Minha voz". 38 Pilatos, então, retrucou: "O
que é a verdade?". E, tendo dito isso, saiu outra vez ao encontro
dos judeus e lhes disse: "Eu não encontro delito algum nEle. 39
Vocês têm o costume de soltar alguém na Páscoa. Querem, pois,
que solte o rei dos judeus?". 40 Então, todos gritaram de novo:
"Não. Queremos que solte Barrabás". Este, no entanto, era ladrão.

O LEÃO SE ADIANTA

Terminada a oração, Jesus vai com os discípulos para o outro lado do jardim, passando pelo riacho de Cedrom, onde costumava se reunir com eles. Sabia que ali era o lugar mais provável em que Judas iria procurá-Lo e levar os soldados para prendê-Lo. Queria enfrentar logo a situação, não fugir dela. E foi o que aconteceu.

Percebendo a aproximação dos soldados, Jesus, com a intrepidez de um leão na noite, se adiantou de encontro a eles, com o único objetivo de proteger os discípulos: "Se é a Mim que vocês procuram, então deixem que estes outros vão embora!" (v.8). Oh, meu Deus! Até naquele momento o nosso Senhor Se preocupou com os discípulos e não Consigo mesmo! Veja que cuidado, que proteção, que liderança!

Conhecendo Jesus assim, você ainda acha que Ele o deixará na mão na hora do perigo?

Outra coisa: percebeu a reação dos soldados quando Ele disse "Sou Eu"? Eles caíram para trás. Por quê? O que muitos não sabem é que esse "Sou Eu" é a mesma expressão usada pelo Deus-Pai ao responder à pergunta de Moisés lá no Sinai, mais de mil anos antes, sobre qual era o Seu nome: "Eu sou o que Sou" (Êxodo 3.14).

Naquela altura, Deus não revelou o Seu nome, apenas lhe deu essa expressão. Mas, agora, sabemos que o nome de Deus é Jesus, pois Ele mesmo confirmou isso no capítulo anterior quando orava ao Pai: "Quando estava com eles no mundo, Eu os guardava pelo poder do Teu nome, o mesmo nome que Me deste" (João 17.12). Não resta dúvida sobre a divindade de Jesus.

E pelo fato de esse nome ter tanto poder, quando o Senhor disse "Sou Eu", todo o bando de soldados romanos e da guarda judaica, talvez mais de cem soldados armados, caiu para trás com medo.

O Grande "Eu sou" está com você aí agora. Seus inimigos e problemas têm de temer, não você.

E diante de tamanho nome, que comanda tanto poder, sejamos mais reverentes no uso dele. Muitos usam o nome de Jesus para tudo e para nada. Uma arma poderosa só deve ser usada quando for realmente necessária.

Tendo Se entregado aos guardas, mesmo podendo a qualquer momento chamar mil legiões de anjos ao Seu auxílio, Jesus foi levado ao Sumo Sacerdote, que, covardemente, orquestrou Sua prisão. Somente Pedro e João O acompanharam, à distância.

Pedro, sempre impetuoso como um trovão, agora se encontrava tomado de medo. Negou três vezes que conhecia Jesus. Realmente é fácil confessar a fé quando tudo vai bem.

A prova do verdadeiro cristão, porém, é quando sua fé lhe custa um alto preço. Jesus estava lá dentro, no meio do fogo dos inimigos, e Pedro cá fora, tentando se aquecer perto da fogueira, junto dos guardas que prenderam Jesus. Uma cena difícil de conceber.

Finalmente, Jesus dá uma lição de independência de pensamento ao responder a Pilatos: "Vem de ti mesmo esta pergunta ou outros lhe disseram a Meu respeito?" (v.34). Em outras palavras, deixe de ser marionete nas mãos dos outros e pense por si mesmo. Informe-se em vez de acreditar em tudo o que ouve.

Uma lição que todos nós também precisamos aprender.

18

ANOTAÇÕES

Compartilhe seus comentários em rna.to/joao21

DIA 19

O CORDEIRO SE ENTREGA

ENTÃO, PILATOS PEGOU JESUS E mandou açoitá-Lo. 2 E os soldados
teceram uma coroa de espinhos e puseram-na sobre a cabeça
dEle e O vestiram com um manto de cor púrpura. 3 Diziam-Lhe:
“Salve o rei dos judeus!”. E davam-Lhe bofetadas. 4 Então, Pilatos
saiu outra vez e disse àquelas pessoas: “Olhem, eu O trago aqui
fora para que vocês se deem conta de que não acho nEle delito
algum”. 5 E, quando Jesus saiu, portando a coroa de espinhos e o
manto de cor púrpura, Pilatos lhes disse: “Eis aqui o Homem!”. 6
No momento em que O viram, os chefes dos sacerdotes e os
guardas gritaram: “Crucifica-O! Crucifica-O!”. Pilatos, então,
disse a eles: “Peguem-No vocês e crucifiquem-No, porque eu
não encontro delito algum nEle”. 7 Mas os judeus responderam a
Pilatos: “Nós temos uma Lei e, segundo nossa Lei, Ele deve morrer
porque afirma ser Filho de Deus”. 8 Quando Pilatos ouviu isso,
sentiu mais medo ainda. 9 Entrou outra vez no Pretório e indagou
a Jesus: “De onde Tu vens?”. Mas Jesus não lhe deu resposta. 10
Então, insistiu Pilatos: “Não falas comigo? Não sabes que tenho

autoridade tanto para Te crucificar quanto para Te soltar?”.11
Jesus, então, respondeu: “Não terias autoridade alguma sobre
Mim se não te fosse dada do alto; o que Me entregou a ti é que
tem pecado maior”.12 Desde então, Pilatos procurava soltá-Lo;
porém, os judeus gritavam: “Se O soltares, não és amigo de César.
Todo aquele que se diz rei se opõe a César”. 13 Então, Pilatos,
ao ouvir isso, levou Jesus para fora e sentou-se no tribunal, no
lugar conhecido como Pavimento, ou Gabatá em hebraico.14 Era
o Dia da Preparação da Páscoa, por volta de meio-dia. Então,
disse aos judeus: “Eis aqui o rei de vocês!”.15 Mas eles gritavam:
“Fora, fora, crucifica-O!”. Pilatos, então, lhes disse: “Querem que
eu crucifique o rei de vocês?”. Ao que os chefes dos sacerdotes
responderam: “Não temos outro rei senão César”.16 Então, Pilatos
lhes entregou Jesus, para que fosse crucificado. Em seguida, os
soldados seguraram Jesus e O levaram.

A CRUCIFICAÇÃO E A MORTE DE JESUS

17 E Ele, carregando Sua cruz, saiu rumo a um lugar chamado
Caveira, Gólgota em hebraico;18 e ali O crucificaram e, com Ele,
outros dois, um de cada lado, e Jesus no meio.19 Pilatos também
escreveu um título sobre uma placa, que colocou sobre a cruz.
O título era: “JESUS NAZARENO, O REI DOS JUDEUS”.20 E
muitos dos judeus leram este título; porque o lugar onde Jesus
foi crucificado era próximo da cidade e a frase estava escrita em
hebraico, grego e latim. 21 Os chefes dos sacerdotes dos judeus
disseram a Pilatos: “Não escrevas: ‘O rei dos judeus’, mas, sim,
que Ele disse: ‘Sou rei dos judeus’”. 22 Pilatos, então, respondeu:

"O que escrevi, escrevi". 23 Quando os soldados crucificaram
Jesus, tomaram as vestes dEle e dividiram em quatro partes, uma
para cada soldado. Tomaram também Sua túnica, a qual era sem
costura, tecida de alto a baixo. 24 Então, disseram uns aos outros:
"Não a partiremos, mas lançaremos sortes sobre ela, para ver de
quem será". Isso aconteceu para que se cumprisse a Escritura, que
diz: "Repartiram entre si Minhas vestes e lançaram sortes sobre
Minha túnica". E foi exatamente isso que os soldados fizeram.
25 Junto à cruz de Jesus, estavam, de pé, Sua mãe, a irmã desta,
Maria, mulher de Cleofas, e Maria Madalena. 26 Quando Jesus
viu Sua mãe e, junto a ela, o discípulo a quem Ele amava, disse à
Sua mãe: "**Mulher, eis aí teu filho**". 27 Depois, disse ao discípulo:
"**Eis aí tua mãe**". E, daquele momento em diante, o discípulo a
recebeu em sua família. 28 Depois disso, como Jesus sabia que já
estava tudo consumado, para que a Escritura se cumprisse, disse:
"**Tenho sede**". 29 E ali havia uma vasilha cheia de vinagre; então,
eles embeberam uma esponja naquele líquido e, sustentando-a
num ramo de hissopo, aproximaram-na de Sua boca. 30 Logo que
Jesus tomou o vinagre, disse: "**Está consumado**". E, inclinando a
cabeça, entregou Seu espírito.

JESUS TRASPASSADO POR UMA LANÇA

31 Era a preparação da Páscoa e, como não queriam que os corpos
ficassem na cruz no sábado (pois aquele sábado era de grande
solenidade), os judeus rogaram a Pilatos que lhes quebrassem as
pernas e fossem tirados dali. 32 Vieram, pois, os soldados e que-
braram as pernas do primeiro e também do outro que havia sido

crucificado com Ele.[33] Mas, quando chegaram a Jesus, como viram que já estava morto, não Lhe quebraram as pernas.[34] Porém, um dos soldados rasgou a parte lateral de Seu corpo com uma lança e, no mesmo instante, jorraram sangue e água.[35] E aquele que presenciou isso deu seu testemunho, que é verdadeiro; e ele sabe que diz a verdade, para que também vocês creiam nisso. [36] Porque essas coisas aconteceram para que se cumprisse a Escritura: "Não Lhe será quebrado osso algum". [37] A Escritura também diz: "Olharão para Aquele Que traspassaram".

JESUS É SEPULTADO

[38] Depois disso, José de Arimateia, que era discípulo de Jesus secretamente, por medo dos judeus, rogou a Pilatos que lhe permitisse levar o corpo de Jesus. Pilatos consentiu. Então, ele foi e retirou o corpo de Jesus.[39] Também Nicodemos, aquele que antes visitara Jesus à noite, veio trazendo cerca de trinta e três quilogramas[4c] de um composto de mirra e aloés. [40] Então, levaram o corpo de Jesus e O envolveram em lençóis com especiarias aromáticas, segundo era costume entre os judeus no sepultamento. [41] Nas proximidades do local da crucificação, havia um horto e, nele, um sepulcro novo, onde ninguém ainda havia sido colocado.[42] Assim, por causa do Dia da Preparação da Páscoa dos judeus, e do fato de aquele sepulcro ficar próximo, sepultaram Jesus ali.

[4c] Em grego, *hōs lítras ekatón* (quase cem *lítra*). A unidade denominada de *lítra* é uma unidade de massa que corresponde a cerca de 328 gramas. Portanto, cem *lítra* equivalem a cerca de 32,8kg. Também se entende como uma libra (romana = 327,45 gramas). Nesse sentido, cem *lítra* equivalem a aproximadamente 32,745 kg.

O CORDEIRO SE ENTREGA

Fraco, mole, covarde. Assim foi Pilatos diante da pressão dos líderes judeus. Ele, por mais incrédulo que fosse, tinha mais percepção espiritual de Jesus do que a corja dos principais sacerdotes. Ainda hoje não é diferente. Há muitos "incrédulos" que herdarão os céus, enquanto religiosos hipócritas rangerão seus dentes no inferno por toda a eternidade.

O Senhor Jesus, por Sua vez, se no capítulo anterior agiu como um leão, aqui assume a forma de um cordeiro a caminho do matadouro. Totalmente consciente do que estava para acontecer, Ele recusou Se defender e aproveitar a hesitação de Pilatos. Submisso, voluntariamente deixou aquela palhaçada continuar, pois sabia que assim havia sido profetizado.

Sim, todos aqueles personagens — os soldados que sortearam a roupa de Jesus, os sacerdotes que agitavam o povo, Pilatos, que lavou as mãos, Barrabás, que foi solto, os ladrões que foram crucificados um de cada lado, até Nicodemos e José de Arimateia, que cuidaram do corpo do Senhor após a morte — sem saber, estavam cumprindo profecias feitas pelos profetas há séculos. Por isso, João menciona tantas vezes aqui: "para que se cumprisse as Escrituras". Tudo era parte do plano de salvação há muito já concebido pelo Pai. Ninguém ali tinha poder sobre Jesus. Ele mesmo Se deixou ser preso, julgado, castigado e crucificado, para que tomasse o meu lugar e o seu.

Passará o céu e a terra, porém as Minhas palavras não passarão. (Lucas 21.33)

Ainda que pareça que o mal esteja prevalecendo, sendo mais forte que Deus na sua vida, saiba que Deus pode usar até o mal para fazer o bem. Ele não *causa* o mal, mas *usa* o mal para transformar situações ruins em grandes benefícios. É como José disse aos seus irmãos, que o venderam:

É verdade que vocês planejaram aquela maldade contra mim, mas Deus mudou o mal em bem para fazer o que hoje estamos vendo, isto é, salvar a vida de muita gente. (Gênesis 50.20)

Quem está dentro da vontade de Deus não tem como perder! Se ganha, ganha; e se perde, ganha também!

Um outro breve esclarecimento aqui sobre os versos 26 e 27, quando Jesus pede que João cuide de Sua mãe, Maria. De forma alguma quis dizer que devemos adorar Maria, nem que ela é agora nossa mãe. Foi uma maneira cuidadosa de Jesus para com aquela que serviu de instrumento para que Ele viesse ao mundo. Um cuidado que todos os filhos devem ter com suas mães.

Como uma última observação sobre este capítulo, note o papel da política, do jogo de poder em toda essa trama que culminou na crucificação de Jesus. Desde o início da humanidade, pessoas más têm ocupado as posições de poder nos tronos deste mundo. Precisamos de homens e mulheres de Deus que tenham a mesma coragem e ousadia para fazerem o bem que os filhos do inferno têm tido para fazerem o mal.

A morte, porém, não pôde conter o nosso Senhor por muito tempo...

19

ANOTAÇÕES

Compartilhe seus comentários em rna.to/joao21

DIA 20

NOSSO BIG BROTHER

A RESSURREIÇÃO DO SENHOR

NO PRIMEIRO DIA DA SEMANA, Maria Madalena foi de madruga-
da, quando ainda estava escuro, ao sepulcro; e viu que a pedra
havia sido removida do sepulcro. 2 Então, correu e foi procurar
Simão Pedro e o outro discípulo, aquele que Jesus amava, e lhes
disse: "Levaram o Senhor do sepulcro e não sabemos onde O
colocaram". 3 Então, Pedro e o outro discípulo saíram e foram até
o sepulcro. 4 Os dois corriam juntos, porém o outro discípulo foi
mais rápido que Pedro e chegou primeiro ao sepulcro. 5 E, abai-
xando-se para olhar, viu os lençóis colocados no chão, mas não
entrou. 6 Logo atrás dele, chegou Simão Pedro, entrou no sepulcro
e viu os lençóis sobre o chão, 7 e o sudário, que estivera sobre a
cabeça de Jesus, não estava próximo aos lençóis, mas enrolado
em um lugar à parte. 8 Então, o outro discípulo, aquele que havia
chegado primeiro, também entrou, viu e creu. 9 Porque ainda não
haviam entendido a Escritura, segundo a qual seria necessário

que Ele ressuscitasse dos mortos. 10 E os discípulos voltaram para
junto dos outros.

JESUS APARECE PARA MARIA MADALENA

11 Maria, porém, estava do lado de fora chorando junto ao se-
pulcro e, enquanto chorava, inclinou-se com o intento de olhar
lá para dentro. 12 Foi quando viu dois anjos com vestes brancas,
que estavam sentados onde o corpo de Jesus fora colocado, um à
cabeceira e outro na extremidade oposta. 13 E eles lhe indagaram:
"Mulher, por que choras?". E ela lhes disse: "Porque levaram
meu Senhor, e não sei onde O colocaram". 14 Tendo dito isso,
virou-se e viu Jesus, que estava ali, mas não O reconheceu. 15
Jesus, então, perguntou a ela: "Mulher, por que choras? Quem
tu estás procurando?". Ela, pensando ser o jardineiro, disse-Lhe:
"Senhor, se Tu O tiraste daqui, diga-me onde O colocaste e eu
O levarei". 16 Jesus, então, chamou: "Maria!". E ela, voltando-se,
disse-Lhe: "*Raboni*!" (que quer dizer, Mestre). 17 Jesus, então, lhe
disse: "Deixa-Me ir, porque ainda não subi para Meu Pai; mas vai
a Meus irmãos e dize a eles: Subo para Meu Pai e seu Pai, para
Meu Deus e seu Deus". 18 Então, Maria Madalena foi anunciar
aos discípulos a notícia de que tinha visto o Senhor, e que Ele
lhe dissera essas coisas.

JESUS APARECE AOS DISCÍPULOS

19 Ao entardecer daquele mesmo dia, o primeiro da semana,
como as portas do lugar onde os discípulos se reuniam estavam

fechadas por medo dos judeus, Jesus veio, pôs-Se no meio
deles e lhes disse: “Paz seja com vocês!”. 20 Tendo dito isso,
mostrou-lhes as mãos e a parte lateral de Seu corpo. E os
discípulos, ao reconhecerem o Senhor, se alegraram. 21 Então,
Jesus disse-lhes outra vez: “Paz seja com vocês. Assim como
o Pai Me enviou, Eu também os envio”. 22 E, em seguida, so-
prou sobre eles, dizendo-lhes: “Recebam o Espírito Santo. 23
Aqueles a quem vocês perdoarem os pecados, estes serão
perdoados; e, aqueles a quem não perdoarem os pecados,
estes não serão perdoados”.

A INCREDULIDADE DE TOMÉ

24 Porém, Tomé, um dos doze, também chamado o Gêmeo,
não estava com eles quando Jesus veio. 25 Os outros discípulos,
então, lhe contaram: “Vimos o Senhor”. E Tomé lhes disse: “Se
eu não vir a marca dos pregos em Suas mãos e colocar meu
dedo no lugar dos pregos e minhas mãos na parte lateral de
Seu corpo, não crerei de modo algum”. 26 Oito dias depois, Seus
discípulos voltaram a se reunir naquele local e, enquanto esta-
vam lá dentro e, com eles, Tomé, Jesus chegou, mesmo estando
as portas fechadas, pôs-Se no meio deles e disse-lhes: “Paz
seja com vocês”. 27 Logo, disse a Tomé: “Põe aqui teu dedo e
vê Minhas mãos. Aproxima tua mão e coloca-a na lateral de
Meu corpo. Não sejas incrédulo, mas crente”. 28 Tomé, então,
respondeu a Ele: “Meu Senhor e meu Deus!” 29 Jesus Lhe disse:
“Tomé, Tu creste porque Me viste; felizes aqueles que não
viram e creram”.

O PROPÓSITO DO LIVRO

30 Além disso, Jesus realizou, na presença de Seus discípulos,
muitos outros sinais que não estão escritos neste livro.
31 Porém,
estes estão escritos para que creiam que Jesus é o Cristo, o Filho
de Deus, e para que, crendo, tenham vida em Seu Nome.

NOSSO BIG BROTHER

A primeira pessoa a ver o Senhor Jesus ressuscitado foi uma "pecadora", a ex-prostituta Maria Madalena, de quem Ele havia expulsado sete demônios. Não foi Pedro, nem João, nem Maria, a mãe de Jesus. São os pecadores, os rejeitados e desprezados que normalmente se entregam com mais rapidez a Deus e, por isso, são os primeiros a verem-No em suas vidas. Não têm nada a perder. Sabem que precisam dEle. Até na Sua ressurreição o Senhor Jesus deixou claro a Sua missão: "Eu vim para os doentes, os sãos não precisam de médico".

Quem se acha bom o suficiente, confia em suas próprias capacidades, não busca e nem pode ver a Deus.

Para mim, o versículo principal deste capítulo é o 17. Leia-o com atenção. Após Se revelar a Maria Madalena, Jesus lhe diz:

Não Me segure, pois ainda não subi
para o Meu Pai. Vá se encontrar com
os Meus irmãos e diga a eles que Eu
vou subir para aquele que é o Meu Pai
e o Pai deles, o Meu Deus e o Deus deles.

Você percebeu o que a morte e ressurreição do Senhor Jesus fizeram pelos discípulos?

Eles começaram como simples aprendizes do Senhor. Eram nada mais que servos. Depois de três anos com Ele, o Senhor lhes havia dito: "Não vos chamo mais servos e sim amigos". Agora o Senhor lhes dá **a maior promoção de todas**: se tornaram irmãos dEle e filhos do Seu Pai! Nunca até aqui Jesus havia se referido a eles assim.

E note também que essas foram as primeiras palavras de Jesus ao voltar da morte. Fez essa declaração como um campeão que acaba de vencer o maior combate de sua carreira e anuncia para o mundo sua vitória! A grande vitória do Senhor Jesus foi esta: conquistar para os que creem nEle o direito de serem Seus irmãos e filhos do Altíssimo. Jesus é o nosso Irmão mais velho! O Pai dEle é o **nosso** Pai!

Pode se alegrar! Pode rir aí! Pode dançar também, se quiser! Pode agradecer ao seu Irmão e Pai!

Mais tarde, naquele mesmo domingo, Jesus apareceu para os discípulos, que estavam escondidos, cheios de medo dos judeus. Seriam eles os próximos a serem presos e mortos? Como escapariam de Jerusalém sem serem vistos? Imagine o que se passava na cabeça deles. Por isso, o Senhor logo lhes saudou dizendo: "A paz seja com vocês". Estas são também as palavras dEle para nós quando estamos tomados de temor, em meio aos nossos problemas.

Tomé não estava ali, e quando ouviu o que os discípulos falaram, resistiu crer. Somente oito dias depois ele pôde ter seu encontro com o Jesus ressuscitado. Como a incredulidade das pessoas atrasa suas vidas!

Feliz é quem não viu, mas creu. **Grandes bênçãos estão reservadas para aqueles que creem sem precisar ver.**

Querido amigo(a) que tem acompanhado este Desafio de João: você crê nEle? Você percebe o Espírito dEle aí perto de você enquanto lê isso? Então seja cheio da alegria de Deus aí agora, seja você quem for, esteja onde estiver, seja qual for o seu passado! Foi por você que Ele venceu tudo, até a morte, para que você também vença com Ele. Se ainda não se entregou a Ele, entregue-se agora por completo, corpo, alma e espírito. Você ainda tem alguma dúvida de que pode confiar nEle e de que Ele só quer o seu bem?

Amanhã é o último dia da nossa meditação. Você que está lendo este livro e ainda não fez seu comentário na página rna.to/joao21, pode deixar pelo menos unzinho por lá hoje.

ANOTAÇÕES

Compartilhe seus comentários em rna.to/joao21

DIA 21

ESQUEÇA OS PEIXES

O SENHOR APARECE A SETE DE SEUS DISCÍPULOS

DEPOIS DISSO, JESUS SE MANIFESTOU outra vez a Seus discípulos, junto ao mar de Tiberíades; e isso ocorreu da seguinte maneira:[2] Estavam juntos Simão Pedro, Tomé, chamado o Gêmeo, Natanael, de Caná da Galileia, os filhos de Zebedeu e outros dois de Seus discípulos.[3] Simão Pedro disse a eles: "Vou pescar". E eles lhe disseram: "Nós também vamos contigo". Foram e entraram em um barco. E, naquela noite, não conseguiram pescar nada.[4] Quando começava a amanhecer, Jesus apresentou-Se na praia, mas os discípulos não O reconheceram.[5] Foi quando Ele lhes disse: "**Filhinhos, vocês têm algo para comer?**". Responderam-Lhe: "Não".[6] E Ele lhes disse: "**Lancem a rede à direita do barco e encontrarão**". Então, lançaram-na e já não podiam mais recolhê-la, por causa da grande quantidade de peixes.[7] Então, aquele discípulo a quem Jesus amava disse a Pedro: "É o Senhor!". Simão Pedro, quando ouviu que era o Senhor, vestiu sua túnica (porque,

antes, a havia tirado), e lançou-se ao mar.[8] E os outros discípulos
vieram no barco, puxando a rede com os peixes, já que não estavam
distantes da terra, apenas cerca de noventa metros.[9] Ao chegarem em
terra firme, viram algumas brasas e um peixe em cima delas, além de
pão.[10] Jesus lhes disse: "Tragam os peixes que acabaram de pescar".[11]
Então, Simão Pedro subiu e puxou a rede para terra, cheia de peixes
grandes, a saber, o número de peixes eram cento e cinquenta e três;
e, mesmo sendo tantos, a rede não se rompeu.[12] Jesus lhes falou: "Ve-
nham e comam". E nenhum dos discípulos se atrevia a Lhe perguntar:
"Quem és Tu?", pois sabiam que era o Senhor.[13] Jesus, então, pegou o
pão e, aproximando-Se deles, lhes ofereceu, fazendo o mesmo com
o peixe.[14] Esta já era a terceira vez que Jesus Se manifestava a Seus
discípulos depois de haver ressuscitado dos mortos.

APASCENTA MINHAS OVELHAS

[15] Depois de comerem, Jesus disse a Simão Pedro: "Simão, filho de
João, Tu Me amas mais do que estes?". Ele respondeu: "Sim, Senhor,
Tu sabes que Te amo". Ele lhe disse: "Apascenta Meus cordeiros".[16]
Tornou a lhe perguntar, já pela segunda vez: "Simão, filho de João,
Tu Me amas?". Pedro Lhe respondeu: "Sim, Senhor, Tu sabes que
Te amo". Ele, então, lhe disse: "Pastoreia Minhas ovelhas".[17] E, pela
terceira vez, lhe perguntou: "Simão, filho de João, Tu Me amas?". Pedro
se entristeceu de que lhe dissesse pela terceira vez: "Tu Me amas?",
e Lhe respondeu: "Senhor, Tu sabes tudo; Tu sabes que Te amo".
Jesus, então, lhe disse: "Apascenta Minhas ovelhas.[18] Em verdade,
em verdade, Eu te digo: Quando eras mais jovem, tu te vestias e
ias aonde querias, mas, quando já estiveres velho, estenderás tuas

mãos e outro te vestirá e te levará para onde não queres". 19 Disse
isso dando a entender com que morte haveria de glorificar a Deus.
E, tendo dito isso, acrescentou: "Segue-Me".

O DISCÍPULO AMADO

20 Voltando-se, Pedro viu que o discípulo a quem Jesus amava o
acompanhava, aquele mesmo que na Ceia havia recostado em Seu
peito e Lhe perguntara: "Senhor, quem é que vai Te trair?" 21 Quando
Pedro o viu, disse a Jesus: "Senhor, e quanto a este?" 22 Jesus lhe disse:
"Se quero que ele fique até que Eu venha, que te importa? Segue-Me
tu". 23 Este dito, então, espalhou-se entre os irmãos, de que aquele
discípulo não morreria. Porém, Jesus não disse que ele não morreria,
mas: "Se quero que ele fique até que Eu venha, que te importa?". 24
Este é o discípulo que dá testemunho destas coisas e as escreveu; e
sabemos que seu testemunho é verdadeiro. 25 E Jesus realizou muitas
outras coisas, as quais, se fossem escritas uma a uma, penso que nem
mesmo no mundo inteiro caberiam os livros que seriam escritos.

ESQUEÇA OS PEIXES

O relato de João termina com a cena de mais um encontro do Jesus ressurreto com os discípulos, desta vez na beira do mar da Galileia. Ele permaneceu na Terra quarenta dias depois de Sua ressurreição — dando sinais, ensinando, exortando e preparando os discípulos para o início da igreja.

Neste específico encontro, apenas sete dos onze discípulos estavam presentes. Onde estavam os outros quatro? Da outra vez, Tomé não estava, e perdeu o primeiro encontro com o Senhor. Já desta vez ele é nomeado aqui entre os sete. Parece que aprendeu a lição: seu lugar era junto com os discípulos.

Muitos cristãos perdem bênçãos e oportunidades de crescimento espiritual porque não são presentes na igreja, não se unem aos outros discípulos que estão servindo ao Senhor. Querem que o Senhor lhes apareça individualmente. Note que, todas as vezes em que Jesus apareceu aos discípulos após a ressurreição, foi para os que estavam juntos. Você vê na igreja pessoas que servem a Deus com sinceridade e prontidão? Junte-se a elas, se quer receber mais de Deus. "Onde estiverem duas ou três pessoas reunidas em Meu nome, ali estarei no meio delas." Não é que Deus não esteja perto de quem está só. É que Ele honra os que querem servir juntos, pois juntos podemos mais.

Toda essa cena da pesca parece ter um simbolismo muito grande. Jesus nunca fez nem falou nada por acaso. Por que escolheu aquele momento e lugar para aparecer para eles?

Os discípulos estavam ali um tanto perdidos sobre o que deveriam fazer depois dos eventos dos últimos dias. Pedro de repente veio com a ideia: "Eu vou pescar". E os outros simplesmente decidiram acompanhá-lo.

Sabemos que Pedro era pescador. Mas, desde seu encontro com Jesus, havia sido chamado para deixar as redes e se tornar pescador de homens. Estaria ele pensando agora em voltar à vida de pescador? Teria ele pensado que "foi bom enquanto durou" e que, agora que o Senhor não estava mais ao lado deles para os alimentar, precisava arrumar um jeito de voltar à "normalidade" e cuidar da própria vida?

Não sabemos o que se passava na cabeça dele, mas parece muito clara a lição que Jesus deixou para eles ali na praia. Com apenas uma palavra, os ajudou a ter uma pesca abundante. Quando chegaram à praia, Jesus já tinha preparado para eles pão e peixe, e lhes deu novamente de comer. O recado era: "Não se preocupem com peixes, comida não vai faltar para vocês enquanto estiverem Comigo. Saiam do mar e vão atrás das pessoas! Elas sim precisam de vocês. Vocês são pescadores de almas, lembram? Cuidem das Minhas ovelhas e Eu cuidarei de vocês".

Quantas vezes queremos voltar à vida antiga, com saudades de coisas da vida pré-Jesus? Não sentimos falta do sofrimento, claro, mas podemos ser tentados por aquelas coisas que nos davam prazer. Temos de cuidar para não andarmos para trás.

Quantos foram chamados para ganhar almas, mas com o tempo voltaram a se preocupar somente com si mesmos?

Veja também como Jesus **retribui com abundância.** Quando Ele apareceu entre os discípulos dias antes em Jerusalém, a portas fechadas, "Lhe apresentaram um pedaço de peixe assado" (Lucas 24.42). Era tudo o que tinham. Agora, Ele lhes retribui para lá de cem vezes mais: 153 peixes grandes. Quem pode dar a Deus mais do que Ele dá? Como ser mesquinho ou ter medo de abrir mão de meras migalhas para o nosso Senhor quando Ele com uma só palavra pode ordenar às riquezas que venham para nossas mãos?

A outra parte deste capítulo nos mostra **como Jesus lidou com o erro de Pedro** por tê-Lo negado três vezes. Ele não o esculachou, não o humilhou, nem lhe jogou seu fracasso na cara. Sabia que Pedro já havia chorado amargamente e punido a si mesmo. Jesus com certeza viu a tristeza de Pedro, que novamente veio à tona quando o Senhor lhe perguntou três vezes a mesma coisa. A tristeza divina é para o bem, produz arrependimento. Muitos não se sentem tristes por seus pecados, por isso nunca se arrependem e nunca conseguem vencê-los.

Porque a tristeza segundo Deus produz arrependimento para a salvação, que a ninguém traz pesar; mas a tristeza do mundo produz morte. (2 Coríntios 7.10)

E porque o Senhor viu esse arrependimento sincero em Pedro, foi prático e focou apenas no que ele deveria fazer a partir de então. O passado passou. Se você já deixou de errar, o que importa agora é o que você vai fazer para acertar.

Mas o Senhor ainda tinha mais uma lição para Pedro. Era com respeito a como ele se preocupava com os outros e competia com eles. Por isso o Senhor lhe perguntou: "Você me ama mais que estes outros?".

Antes de negar Jesus, Pedro havia dito a Ele: "Ainda que todos se escandalizem, eu, jamais!" (Marcos 14.29). Pedro se achava mais forte, mais capaz e mais fiel que seus colegas. Não devemos nos achar melhores que os outros. Ainda que devamos procurar ser melhores que todos, devemos, em humildade de espírito, estimar a outros melhores que nós, pois conhecemos nossas fraquezas melhor que as deles. Até a fé e a santidade podem nos fazer orgulhosos.

Mas, mesmo depois daquela pergunta, parece que Pedro ainda não tinha se tocado de que devia se preocupar consigo mesmo e não se preocupar com a vida dos outros. Quando o Senhor o chamou para segui-Lo, Pedro foi, mas olhou para trás e viu que João também os acompanhava. Como Jesus acabara de dizer o tipo de morte que Pedro sofreria, este quis saber também o que aconteceria com João. E foi então que Jesus, diretamente, deu-lhe uma na testa: "O que você tem a ver com isso?".

Cuidar de nossa própria vida já é trabalho o bastante. Não precisamos cuidar da dos outros.

E é com este aviso que terminamos o *Desafio de João*. Cuide de sua vida. Como você deve ter percebido ao estudar este livro, ela é preciosíssima. O custo dela foi a vida do próprio Filho de Deus. Com esse preço, você recebeu o direito de ser filho também. O mesmo convite que Jesus fez a Pedro, Ele faz agora a você: "Siga-Me".

ANOTAÇÕES

Compartilhe seus comentários em rna.to/joao21

O QUE FAZER AGORA?

Durante 21 dias você esteve lado a lado com Jesus. Presenciou Seus milagres, ouviu Suas palavras e conheceu mais de Sua personalidade. Agora Ele não é mais alguém distante ou simplesmente uma figura religiosa. Ele é uma pessoa real, o Filho de Deus, que quer ser seu Senhor, seu amigo e seu irmão mais velho.

O Desafio de João foi apenas um dos muitos passos que você pode dar nessa caminhada com Jesus. Se quiser conhecê-Lo mais e aceitar o convite para ser Seu amigo e irmão, você deve construir um relacionamento com Ele. Deixo aqui algumas dicas de como você pode fazer isso, para que essa caminhada de crescimento interior se estenda por toda a sua vida:

1. Passe a ser um seguidor de Jesus. Deixe a religião, seja qual for, pois ela é um sistema de homens que o amarra mais que o ajuda. Deixe-a e passe a cultivar um relacionamento real com Deus através do Seu Filho.

2. Continue meditando na Palavra de Deus. Veja como este Propósito o fortaleceu. Por que parar? Meditar nela o ajudará a conhecê-Lo melhor e fortalecerá a sua fé a cada dia. Frequente uma igreja onde a Bíblia é vivida por seus pregadores e una-se a outros cristãos que tenham o mesmo espírito. Uma igreja forte lhe faz forte. Mas não vá lá para cuidar da vida dos outros. Basta a sua.

3. Ajude outros a conhecerem a Jesus. Depois de zelar por sua própria salvação, esta é sua maior responsabilidade. O que Deus lhe deu não é só para você. A melhor maneira de apresentar Jesus aos outros é viver como um verdadeiro irmão dEle. Deixe sua luz brilhar. E aproveite toda oportunidade e fale dEle para alguém.

Gostaria de saber sua experiência com este livro e também de convidá-lo para continuar desenvolvendo inteligência espiritual. No meu blog renatocardoso.com, onde este Propósito começou, escrevo sobre esse assunto e mantenho contato com os leitores. Gostaria muito de que este fosse apenas o começo da caminhada que faremos juntos, portanto, espero você por lá.

Por último, **um pedido**. Se este *Desafio de João* abençoou você, convença pelo menos três pessoas a fazê-lo. Dê um exemplar deste livro de presente para elas e as motive a participar. Elas podem começar quando quiserem. Esta é a melhor maneira que você pode encontrar para me agradecer — me ajudando a levar outros a conhecer esse Jesus que mudou a minha vida e, agora, também a sua!

Muito obrigado.

Paz!

Renato Cardoso

CONHEÇA OUTROS TÍTULOS *do* AUTOR.

arca center

arcacenter.com.br

21 3296-9393

vendas@unipro.com.br

Unipro EDITORA

ESTRADA ADHEMAR BEBIANO, 3.610 — INHAÚMA
CEP 20766-720 — RIO DE JANEIRO — RJ
TEL.: (21) 3296-9300

THOMAS NELSON BRASIL®

RUA NOVA JERUSALÉM, 345 — BONSUCESSO
CEP 21402-325 — RIO DE JANEIRO - RJ
TEL.: (21) 3882-8200 — FAX (21) 3882-8212/3882-8313